Se connaître... pour une gestion lucide des personnes

LES PUBLICATIONS DU QUÉBEC
1500 D, rue Jean-Talon Nord, Sainte-Foy (Québec) G1N 2E5

VENTE ET DISTRIBUTION
Téléphone : (418) 643 - 5150 ou, sans frais, 1 800 463 - 2100
Télécopie : (418) 643 - 6177 ou, sans frais, 1 800 561 - 3479
Internet: www.publicationsduquebec.gouv.qc.ca

Catalogage avant publication
de la Bibliothèque nationale du Canada

Boucher, Guy, 1952-

Profession gestionnaire

Éd. rev. et augm.

Sommaire : t. 1. La gestion des personnes au quotidien–t. 2.
Se connaître–pour une gestion lucide des personnes.

ISBN 2-551-19641-8 (v. 1)
ISBN 2-551-19637-X (v. 2)

1. Personnel–Supervision. 2. Aptitude pour la direction. 3. Équipes de travail. 4. Gestion des conflits. 5. Connaissance de soi. 6. Personnel–Supervision–Problèmes et exercices. I. Gagné, Paul André. II. Petitpas, Jean-Guy. III. Desbiens, André, 1939-. IV. Québec (Province). Ministère de l'agriculture, des pêcheries et de l'alimentation. V. Régie des assurances agricoles du Québec. VI. Titre.

HF5549.12.B68 2004 658.3'02 C2004-940165-3

Profession GESTIONNAIRE

TOME 2

Se connaître... pour une gestion lucide des personnes

LES PUBLICATIONS DU QUÉBEC

Québec

Cette publication a été élaborée
avec la collaboration des veilleurs
de l'Observatoire interministériel en ressources humaines
du Comité consultatif de la gestion du personnel
au gouvernement du Québec.

Cette édition a été produite par
Les Publications du Québec
1500 D, rue Jean-Talon Nord, 1er étage
Sainte-Foy (Québec)
G1N 2E5

Auteur
André Desbiens, B.A., B. Sc. A., M. A. Ps.

Révision linguistique
Lucette Lévesque
Les Publications du Québec

Graphisme de la couverture et grille typographique
Bellavance communication graphique

Dans cet ouvrage, le générique masculin est utilisé sans aucune discrimination et uniquement dans le but d'alléger le texte.

Dépôt légal – 2004
Bibliothèque nationale du Québec
Bibliothèque nationale du Canada
ISBN 2-551-19637-X

REMERCIEMENTS

Je dois la réalisation de ce livre à mon épouse Henriette et à mes enfants Annie et Luc qui, au beau milieu de leur adolescence, ont sacrifié un surplus de confort matériel pour que je puisse compléter mes études en psychologie. Ils m'ont permis de m'enrichir intellectuellement, mais aussi et surtout affectivement. Ils m'ont tenu ouverte la porte d'accès à un plus grand bonheur. Pour cela je leur serai toujours reconnaissant.

Je veux remercier d'abord ma collègue et amie Martine Jobin, coordonnatrice de l'Observatoire interministériel en ressources humaines, pour m'avoir mis sur la piste de la réalisation de cet ouvrage. Je remercie aussi tous les veilleurs de l'Observatoire dont les analyses, synthèses et avis sur tous les aspects de la gestion des ressources humaines m'ont été une source d'inspiration riche et variée. Ils sont en quelque sorte les coauteurs de cet ouvrage.

Merci aux membres du comité de lecture de l'ouvrage, madame Danielle Boulet ainsi que messieurs Pierre Fournier et Éric Labbé. Leurs commentaires et leurs judicieux conseils m'ont été d'une aide inestimable.

Merci enfin à madame Lucette Lévesque pour son remarquable travail de révision linguistique de l'ouvrage.

André Desbiens

PRÉFACE

Au milieu des années quatre-vingt-dix, Les Publications du Québec ont produit un ouvrage intitulé *Profession gestionnaire*. Cet ouvrage comblait un besoin clairement exprimé par les gestionnaires publics.

Plus récemment, en 2001, l'Observatoire interministériel en ressources humaines a été créé avec, comme finalités, le transfert de connaissances, l'acquisition d'expertise de pointe et le dégagement des nouvelles tendances qui se dessinent. Au moment de la publication de cet ouvrage, deux douzaines de veilleurs auront produit trois cents fiches d'analyse des informations les plus récentes circulant dans l'environnement de la gestion des ressources humaines et sur lesquelles ils auront émis des avis d'experts dans leur spécialité respective.

Ces travaux ont apporté un éclairage nouveau sur la vigoureuse et incessante turbulence qui bouscule toutes les organisations. Un nouveau paradigme se fait jour: la reconnaissance de l'humain en tant que plus importante ressource de l'organisation. Or, l'humain est complexe, et il nous est apparu important de proposer au gestionnaire moderne une démarche d'éveil à lui-même et de l'amener à adopter un mode de gestion qui prenne d'abord appui sur son humanité et sur sa personnalité propre avant de se coller à un quelconque modèle théorique.

Nous croyons qu'une gestion lucide des personnes passe par une profonde connaissance de soi et qu'elle sert d'assise à une gestion globale plus efficace. Cela est vrai pour le gestionnaire expérimenté autant que pour le néophyte de la gestion.

TABLE DES MATIÈRES

CHAPITRE 6

LISTE DES TABLEAUX

LISTE DES EXERCICES

Introduction

Cet ouvrage porte sur ce qu'on appelle communément la gestion des ressources humaines. **J'utiliserai plutôt l'expression «gestion des personnes» pour bien illustrer l'importance de traiter l'employé comme une personne et non comme une ressource à exploiter**. Cette philosophie d'exploitation des personnes en tant que ressources est révolue dans nos sociétés modernes. On en reparle plus loin dans cet ouvrage parce que c'est là un enjeu majeur au regard de la mobilisation des employés qui représentent la force vive de nos organisations.

Dans ce chapitre d'introduction, je veux d'abord exposer ce qui sous-tend un tel exercice d'introspection, parce que c'en est un, et dire pourquoi et à quel titre j'ai accepté de rédiger cet ouvrage.

Les autres sections du chapitre tenteront de situer le lecteur comme individu dans la société et dans l'organisation et de mettre en lumière la réalité du niveau de tension élevé et quasi constant dans lequel doit fonctionner le gestionnaire moderne.

La lecture des thèmes ici abordés permet de mieux saisir la trame de fond des chapitres qui traitent plus directement des aspects pratiques de la gestion.

L'AUTEUR : SES SOURCES D'INSPIRATION

Tout a été dit sur la nature humaine, sauf peut-être en ce qui concerne les découvertes récentes et à venir en matière de génétique et de neurologie. Je ne fais que reproduire ici une sélection de mon cru de ces connaissances, et l'originalité de ce texte réside dans l'arrangement bien personnel que j'en fais.

Au fil des six décennies que j'ai traversées, des personnes m'ont guidé, d'autres m'ont soutenu. C'est grâce à elles que je crois avoir acquis une certaine sérénité et, en prime, un brin de sagesse. Voici en quelques mots les antécédents qui, peut-être, me légitiment comme auteur de ce livre.

Très tôt et jusqu'à la fin de mon adolescence, mon père m'a inculqué ce goût de la recherche et de la réflexion, le goût de comprendre le monde et de se comprendre soi-même dans ce monde. Il laissait bien en vue les trop rares ouvrages qu'il possédait traitant de philosophie et de psychologie. Je les ai lus et relus.

Durant mes années d'études en génie physique et celles qui ont suivi, ce sont les philosophes grecs Socrate, Épicure, Épictète et Platon qui me tenaient compagnie pour me divertir de l'aridité des ouvrages scientifiques. Défense de rire : la physique mathématique est bien plus aride que les élucubrations des philosophes les plus tordus.

Puis, au milieu de la trentaine, j'ai été mis en contact avec la sagesse orientale par ses représentants, les Indiens Krishnamurti et le Bouddha, les Chinois Lao-Tseu et Confucius, le Russe Gurdjieff et le Français Arnaud Desjardins.

Au mitan de la quarantaine, j'ai pris la décision de réaliser mon rêve d'enfance et de devenir psychologue. Cette décision m'a coûté mon poste et le statut qui y était rattaché car on me refusait, en tant que cadre, les congés sans solde qu'exigeaient mes études. Grâce à la convention collective des ingénieurs qui en fait un droit de l'employé, mes dirigeants du temps n'ont eu d'autre choix que de me les accorder. Ma décision m'a aussi coûté l'équivalent de deux années de revenus de travail réparties sur les cinq années d'études à temps complet qu'exigeait le titre convoité de psychologue.

Ces études m'ont permis de connaître et d'approfondir la philosophie humaniste des grands psychologues Carl Rogers, Abraham Maslow, Rollo May et Frederick Perls, sans compter leurs prédécesseurs du début du xxe siècle, Sigmund Freud et William James. C'est dans cette même période que j'ai pris connaissance des théories de scientifiques tels le biochimiste Henri Laborit, le généticien Albert Jacquard et l'astrophysicien Hubert Reeves. Ces chercheurs et philosophes ont développé et m'ont transmis des réflexions qui transcendent leur spécialisation respective.

Ayant atteint la cinquantaine et croyant avoir compris certaines choses de la vie, j'ai cessé de chercher et j'ai tenté d'organiser en un tout cohérent la quintessence de tous ces enseignements et de les traduire dans ma réalité quotidienne, en particulier dans mes relations aux autres.

J'ai fait ce choix de m'éloigner des maîtres à penser de ce monde parce que, rendu à un certain point, le voyage ne peut se poursuivre qu'en solitaire – j'en parle plus loin – sans personne pour nous tenir la main. On ne peut pas échapper à cette solitude, et on ne le veut surtout pas, car la sagesse, comme la culture, est une prison, une sorte de drogue envers laquelle on développe une dépendance dont on refuse absolument de se libérer.

Ma carrière professionnelle a constitué une assise majeure à ma quête de sérénité et de bonheur dans la vie. J'aurais aimé dire tremplin au lieu d'assise, mais mes ambitions de carrière ont été plus souvent source de freinage que source d'inspiration. C'est ainsi qu'en filigrane, dans cet ouvrage qui traite de gestion, le lecteur trouvera les balises d'une démarche intérieure qui déborde largement la vie professionnelle.

L'OUVRAGE : PHILOSOPHIE ET STRUCTURE

Quand on étudie en gestion, on aborde surtout la gestion des « affaires », et moult ouvrages ont été publiés concernant ce type de gestion.

Celui-ci ne s'inscrit pas dans cette lignée.

UN EXERCICE D'INTROSPECTION

En abordant la lecture de cet ouvrage, le lecteur est invité à mettre de côté, pour un moment, les théories qu'il a apprises sur la gestion et qui portent en général sur des pratiques et des techniques de gestion d'objets tels les finances, les projets, les inventaires et même les personnes.

L'optique adoptée ici est différente, et une bonne partie de ce livre est en fait un exercice d'introspection, une invitation au lecteur à tourner son regard vers l'intérieur et à s'observer en action de gestion des personnes. Cet exercice est une étape importante dans l'acquisition d'une vue de recul permanente sur tout ce qu'il fait et sur les impacts de ses actions sur les autres, ses employés et ses patrons, mais aussi ses proches et ses amis.

En rédigeant cet ouvrage, j'ai voulu amener le gestionnaire à comprendre l'importance vitale des compétences associées aux relations avec les employés, dont le leadership et la communication pour ne mentionner que celles-là, et à acquérir la capacité de les rendre plus productifs tout en étant plus heureux au travail.

Quand on s'attarde aux impacts qu'un gestionnaire a sur les employés et aux coûts engendrés par ses actions, on ne peut qu'admettre qu'un gestionnaire équilibré, capable de juger objectivement les situations et les gens, est plus précieux pour l'organisation qu'un gestionnaire bardé de diplômes plus ou moins branchés sur la réalité du monde de la gestion au quotidien.

ORIENTATION GESTION DES PERSONNES

Cet ouvrage traite donc uniquement de gestion des personnes, dans une approche toute personnelle. À l'origine de ce ciblage sur la personne, un premier constat selon lequel tous les gestionnaires dirigent des personnes, alors que tous ne gèrent pas nécessairement des affaires. Un deuxième constat, confirmé par de nombreux experts, est que l'humain représente la ressource la plus importante pour la plupart des organisations, ce qui n'était pas le cas en ces temps reculés du taylorisme où les personnes n'étaient que des outils de production. Un troisième constat : une seule chose importe avant tout en ce monde, et c'est l'humain ; sans humanité, pas d'argent, pas de finances, pas de villes... pas de gestion.

UN TON QUI INTERPELLE

Le ton est direct. Il s'adresse directement à toi comme gestionnaire, mais aussi comme personne à part entière. Le discours force un questionnement qui, si tu l'affrontes, arrachera ces œillères que tes peurs de faire face à certaines dures réalités t'ont fabriquées. En ce sens, il n'est pas dénué de subjectivité ; cela est volontaire car je tiens à ce que ce soit la personne que je suis qui s'adresse à toi et non une quelconque autorité, ce que je ne suis pas, d'ailleurs.

Je me permets de t'interpeller, toi le lecteur qui as démontré en tournant la première page que tu étais prêt à affronter quelques-uns de tes démons intérieurs. Jette un regard en toi et constate qu'il y a une vision de toi que tu trouves parfois très laide. Toi seul peux la connaître dans toute sa réalité et toi seul peux travailler à la changer. Ces propos t'y aideront peut-être.

J'aimerais que tu les reçoives comme un dialogue entre toi et moi, un dialogue teinté d'opinions personnelles que j'émets en toute humilité, bien conscient du fait que je ne suis détenteur d'aucune vérité, sauf la mienne. Au-delà des opinions, il y a l'information factuelle que je livre et qui provient de sources nombreuses, variées et fiables.

Je souhaite qu'à la lecture de ces pages tu te sentes suffisamment interpellé pour t'arrêter et poser un regard sur toi-même, te regarder fonctionner dans ta vie personnelle et dans ta vie professionnelle. Je souhaite que tu ailles au-delà de ce rationnel qui t'a si bien servi pour arriver où tu es, mais qui te masque une partie de ta réalité affective et émotionnelle. Je souhaite t'amener à briser le rythme fou qui t'entraîne dans un tourbillon dont tu es devenu prisonnier à ton insu.

La structure de l'ouvrage

La première partie de ce livre se compose des quatre premiers chapitres. Je t'y propose une réflexion sur toi-même en tant que personne et en tant que gestionnaire. La démarche consiste à prendre d'abord conscience de la nature essentiellement sociale de l'homme et de l'importance de l'autre dans la crise intérieure à travers laquelle passe le gestionnaire d'aujourd'hui. Puis, elle te suggère un périple du général au particulier: un repositionnement dans l'histoire de l'homme pour en arriver à mettre en lumière le sens que tu donnes à ta vie et à en dégager un ensemble de valeurs qui vont se refléter dans toutes tes actions. Ces bases étant établies, une démarche d'affinement de ta conscience de toi-même t'est proposée, accompagnée de propos portant sur quelques éléments qui méritent une étude lucide vu leur importance au regard de la vie professionnelle.

Après cette élévation de ton niveau de conscience, la seconde partie propose et développe quelques qualités jugées fondamentales qui, si elles sont présentes chez toi, te fourniront un ensemble assez complet de bases relationnelles utiles dans tes interventions. C'est l'objet du chapitre 4, un retour sur des compétences utiles en gestion des personnes.

Ton regard, de dirigé sur toi-même qu'il était, est maintenant tourné vers ton employé. C'est l'objet de la troisième partie qui traite d'aspects pratiques de la gestion. Dans une dimension collective, les problématiques humaines les plus aiguës auxquelles fait face l'organisation moderne sont décrites, et des mesures d'intervention sont proposées dans une optique de préservation de son équilibre interne. Puis, sur un plan de gestion individuelle, des personnalités types d'employés sont décrites sous forme caricaturale afin de bien mettre en évidence certaines caractéristiques indésirables et de suggérer des modalités d'intervention adaptées à chaque cas.

TOI, L'AUTRE, L'ORGANISATION ET LA SOCIÉTÉ

LA SOCIÉTÉ

Je te propose, d'entrée de jeu, un rapide coup d'œil sur tes origines, sur l'histoire de l'humanité et sur la naissance de la société dans laquelle tu vis aujourd'hui.

Peux-tu seulement imaginer que ton ancêtre le plus éloigné est apparu il y a à peine plus de 50 000 ans ? Il n'y avait alors qu'environ un million d'humains sur la Terre. Selon le généticien des populations Albert Jacquard[1], l'invention d'outils de chasse plus performants a fait grimper la population à cinq millions d'habitants ; elle se serait maintenue stable jusqu'à il y a quelque 10 000 ans. Puis, avec la création des villes, la population mondiale a atteint le nombre de 250 millions il y a 2 000 ans. La progression, lente jusqu'à l'an 1 600 (500 millions), a alors explosé pour en arriver à quelque 6 milliards aujourd'hui.

Mais, pourquoi affirme-t-on que l'homme ne serait apparu que récemment ?

Pour répondre à cette question, on va tenter une incursion dans l'histoire telle qu'elle est décrite par les archéologues.

On a souvent affirmé que l'homme descendait du singe, ce qui a eu l'heur de déplaire souverainement à l'Église et qui a même provoqué un procès monstre aux États-Unis au début du XXe siècle.

Aujourd'hui, on sait que c'est la stricte vérité ; pour certains, la triste réalité ! Cependant, en guise de consolation peut-être, on doit mettre quelques bémols au verbe « descendre ». Dans les faits, il s'agit d'un processus d'évolution dans lequel on trouve le singe et l'homme et où chacun garde son identité propre, bien que partageant plus de 95 % de leurs codes génétiques respectifs (pour le chimpanzé, en tout cas).

---

1. JACQUARD, Albert. *Voici le temps du monde fini*, Paris, Éditions du Seuil, 1991.

Selon John C. Eccles[2], 30 millions d'années après l'extinction des grands dinosaures – conséquence d'un épouvantable cataclysme planétaire il y a 60 millions d'années – sont apparus les ancêtres des grands singes et des humains, les *dryopithecus*; ils sont les premiers primates connus. Cette lignée s'est divisée, il y a quelque 12 millions d'années, pour produire deux grandes familles qui nous intéressent, les pongidés (les grands singes) et les hominidés.

Dans la lignée des hominidés, les découvertes archéologiques nous ramènent quatre ou cinq millions d'années en arrière avec l'apparition de l'australopithèque, au cerveau d'un poids moyen de 500 grammes; il est le premier à avoir adopté partiellement la marche bipède. Puis, il y a deux à trois millions d'années apparaît l'*Homo habilis* (cerveau de 700 grammes), qui taille des outils en silex, suivi de l'*Homo erectus* (cerveau de 1000 grammes), qui apprend à maîtriser le feu. Ces deux derniers ont nettement une marche bipède.

Un autre saut dans le temps nous conduit à l'apparition, il y a quelque 300 à 400 mille ans, de l'homme de Néandertal. Il avait un cerveau de la même taille que celui de l'homme d'aujourd'hui, même légèrement plus gros, mais beaucoup moins ramifié sur le plan neuronal. Ce n'est qu'à cette période que s'est développée la physiologie des fonctions laryngées devant permettre ultérieurement le langage. On sait que l'homme de Néandertal enterrait ses morts, et donc qu'il avait déjà conscience de sa finitude et qu'il croyait probablement à un au-delà après la mort.

Enfin apparaît la gloire de l'Univers, l'humain que tu es, dont le premier représentant, l'homme de Cro-Magnon, est bien connu par les fresques qu'il a laissées dans les grottes européennes durant la période de moins 50000 ans à moins 10000 ans. En ces temps reculés, la vie est nomade et les tribus se déplacent en fonction de la disponibilité de la nourriture.

La première ville fortifiée – Jéricho, selon les archéologues – a vu le jour il y a 10000 ans. C'était le début du regroupement des humains, de la spécialisation du travail et de l'élevage des animaux pour se nourrir.

Puis, l'humanité évolue à une rapidité qui fait peur.

2. ECCLES, John C. *Évolution du cerveau et création de la conscience*, Paris, Éditions Fayard, 1992.

La culture de céréales commence il y a 7000 ans – à la fin de l'âge de la pierre – à certains endroits et seulement il y a 4000 ans ailleurs. Tout comme l'élevage des animaux a remplacé graduellement la chasse, la culture remplace l'activité de cueillette de fruits, autre grand volet de l'alimentation du temps.

L'écriture hiéroglyphique a été la première à apparaître il y a 5000 ans dans ce qui est l'Égypte d'aujourd'hui, alors que l'écriture moderne n'est apparue qu'il y a 3000 ans. L'écriture n'a donc commencé à supplanter la tradition orale pour la transmission de la connaissance qu'à partir de cette époque.

L'AUTRE

Comme tu peux le constater, tu n'es pas seul dans cette société, il y a aussi l'autre. Voici ce qu'en disent quelques penseurs du XXe siècle.

Le philosophe Jean-Paul Sartre[3] disait: « Pour obtenir une vérité quelconque sur moi, il faut que je passe par l'autre. » Gabriel Marcel[4], autre philosophe, va dans le même sens en affirmant: « Je ne puis me penser moi-même comme existant qu'en tant que je me conçois comme n'étant pas les autres. »

Ces deux philosophes français rejoignent dans leurs propos Krishnamurti[5], représentant bien connu de la pensée orientale, qui affirme: « Être, c'est être dans un monde de relations; sans contacts il n'y a pas d'existence », ainsi que les auteurs contemporains québécois Dionne et Ouellet[6]: « [...] nous proposons un être humain à la recherche de lui-même dans un environnement incluant ses semblables, et dont l'existence dépend de ses relations ».

3. SARTRE, Jean-Paul. *L'existentialisme est un humanisme*, Paris, Gallimard, 1965.

4. MARCEL, Gabriel. *Être et Avoir*, Paris, Éditions Montaigne, 1935.

5. KRISHNAMURTI. *La première et dernière liberté*, Paris, Stock, 1954.

6. DIONNE, Pierre, et Gilles OUELLET. *La communication interpersonnelle et organisationnelle: l'effet Palo Alto*, Montréal, Gaëtan Morin Éditeur, 1990.

Tous ces penseurs affirment l'importance des autres et du contact avec ceux-ci dans l'interaction sociale pour se développer psychologiquement ou pour « être », tout simplement, dans le sens humain du terme.

L'isolement social conduit à l'aliénation. William James[7], philosophe et psychologue du début du siècle, affirmait : « [...] aucun châtiment plus diabolique ne saurait être imaginé, s'il était physiquement possible, que d'être lâché dans la société et de demeurer totalement inaperçu de tous les membres qui la composent. »

Dans nos sociétés modernes, le contact social est omniprésent, conséquence du regroupement des humains en collectivités d'envergures diverses. Le contact social est évidemment présent au premier chef au sein de la cellule familiale ; il l'est aussi énormément en milieu de travail. Sans relations adéquates, c'est l'éclatement du groupe ou l'incapacité de performer de façon satisfaisante.

C'est à travers tes interactions avec les autres que tu développes une image de toi-même, ton identité, ton estime de toi-même et ta capacité de t'affirmer dans le monde social. C'est par les autres, par l'effet de miroir qu'ils exercent sur toi, que tu peux te voir comme différent d'eux, que tu peux te connaître comme être distinct.

La conscience est donc un dialogue avec le monde et avec les autres, mais c'est d'abord un dialogue avec soi-même si on veut éviter de développer une conscience « par procuration », une conscience empruntée aux autres. Ces multiples dialogues ne sont pas cloisonnés. On passe, naturellement et nécessairement, de l'un à l'autre dans une sorte de mouvement perpétuel.

On peut constater ici l'importance pour le gestionnaire d'être conscient de ce qu'il est en situation de contact avec l'autre, son patron, mais aussi et surtout avec son employé aux fins du présent ouvrage.

---

7. JAMES, William. *The Principles of Psychology*, New-York, Dover, 1890.

Mieux tu peux t'observer en action de communication avec ton employé, plus tu deviens sensible à ce qu'il est, à ses humeurs, et plus tu deviens capable de décoder comment lui-même vit la relation et ainsi rendre la communication plus vraie et plus complète. Tu développes ta capacité à percevoir et à interpréter les éléments non verbaux de l'échange, qui véhiculent deux fois plus d'information que le contenu verbal lui-même.

L'ORGANISATION

Va pour l'importance de l'autre, mais l'organisation est tout aussi importante pour toi car elle te procure un emploi qui te permet de fonctionner dans la société. Elle est parfois aussi ton plus important environnement social considérant le temps que tu y passes.

Cet environnement a cependant ses règles du jeu, lesquelles sont différentes de celles qui prévalent dans ta famille et dans les autres groupes sociaux dont tu fais partie. Il s'y établit des relations interpersonnelles bien particulières, par exemple entre supérieur et subordonné et aussi entre collègues en compétition pour la meilleure appréciation de la part des gestionnaires. Ces contacts font ressortir des caractéristiques de personnalité qui exigent une adaptation spécifique différente de ce qui est requis au sein de la cellule familiale.

LA HIÉRARCHIE, UN MAL NÉCESSAIRE ?

Comme on peut l'imaginer à partir de ce qui précède, la société est une mosaïque d'organisations et de structures d'organisations. Et qui dit organisation dit hiérarchie.

Si l'être humain était une machine sociale parfaite, la société s'organiserait d'elle-même sans avoir à désigner des chefs. Comme ce n'est pas le cas, la présence de chefs est apparue comme une nécessité fonctionnelle. C'est ainsi qu'est née la hiérarchie.

Sans chefs, la démonstration en est faite quotidiennement dans l'actualité, c'est l'anarchie totale comme on le constate dans certains pays, c'est la disparition des plus faibles, c'est un retour à Néandertal et à Cro-Magnon.

Regroupe les meilleurs musiciens du monde et demande-leur de jouer ensemble une pièce, chacun ayant ses partitions et sachant très bien ce qu'il doit jouer. Sans directeur au pupitre, avec un simple signal de départ, j'ose à peine imaginer ce que deviendrait la cinquième symphonie de Beethoven.

Il y a toutefois d'autres facteurs qui ont favorisé l'apparition de la hiérarchie. Il y a l'élan biologique par lequel beaucoup d'animaux grégaires ont une hiérarchie, parfois de type aristocratique comme chez les abeilles et les fourmis, parfois de type autocratique comme chez les singes et les loups, la loi du plus fort prévalant dans ces derniers cas.

De plus, quand on explore la psychologie humaine, on constate que l'homme recherche le pouvoir. Chez l'être humain conscient, en plus de la tendance à la domination du plus fort, il y a aussi une sensation de plaisir consciente à dominer les autres. C'est pourquoi c'est le plus agressif qui devient parfois le chef, et non le plus fort. Ainsi, inexorablement, il y aura toujours des hommes qui se battront pour obtenir le pouvoir, que ce soit au sein de la cellule familiale, du groupe social ou du milieu de travail.

Les techniques d'acquisition du pouvoir sont aussi diversifiées que les personnes: par la force physique, par l'ascendant moral, par l'autorité de statut, par la manipulation agressive, par la manipulation subtile et culpabilisante, par la simple inaction...

Le beau côté de la médaille, c'est que les personnes qui sont dirigées se laissent guider la plupart du temps parce qu'elles ressentent un tel besoin de guidance. D'autres, les travailleurs de fond, souhaitent seulement pouvoir se concentrer sur leur travail sans être happés par les processus tatillons de l'administration.

La constante, c'est que tous ont besoin d'être guidés parce que, plongés dans le quotidien, la figure collée sur les arbres, il leur est difficile de développer une vision claire de l'ensemble. Ça prend quelqu'un, en haut de la montagne, pour dégager une vue globale de la forêt et désigner les directions à prendre.

Le fonctionnement en équipes autonomes non hiérarchisées favorise la créativité, l'innovation et la productivité. Il permet d'éliminer certains inconvénients de la hiérarchie, mais il reflète un idéal qui ne peut se réaliser que dans un ensemble de conditions spécifiques difficile à constituer et à maintenir. On a vu dans l'ouvrage *Profession gestionnaire, tome 1* que le travail en équipe et le partage de connaissances sont peu praticables dans un monde où on encourage la compétition entre collègues.

Les organisations, à l'instar des personnes, recherchent l'homéostasie, la continuité et la stabilité; elles résistent spontanément à un changement majeur d'organisation du travail. On peut trouver ici un embryon d'explication au peu de succès d'un grand nombre de réformes qui s'appuient sur la présomption d'une collaboration spontanée entre les personnes concernées.

La hiérarchie existera donc toujours. En y pensant bien, loin d'être un mal, elle est une nécessité même en ces temps où on aplatit les structures et où on dit vouloir laisser plus d'autonomie aux travailleurs de la base.

La crise existentielle du gestionnaire moderne

Les événements du 11 septembre 2001 ont amené de nombreuses personnes, des gestionnaires en particulier, à se questionner sur le sens de leur travail, sur le sens de leur vie.

Des événements comme celui-là sont catalyseurs de tels questionnements existentiels, mais ils ne font qu'amplifier le phénomène déjà largement alimenté par l'accélération du rythme de la vie moderne et par l'abandon progressif des repères spirituels.

Un certain nombre de signes intérieurs annoncent un tel questionnement: sentiment d'être pris au piège d'un travail qui ne permet plus de s'accomplir, sentiment d'ennui souvent nié pour éviter une dégradation de l'image de soi, constat que le quotidien professionnel ne correspond pas à ce qui était rêvé, difficulté d'aligner ses actes professionnels avec son éthique personnelle.

Le questionnement pourra aussi être alimenté par un profond sentiment d'insatisfaction de besoins fondamentaux, lui-même provoqué par des facteurs environnementaux. Encore ici, le lecteur est invité à consulter la toute première section de *Profession gestionnaire, tome 1* rapportant les notes personnelles d'un gestionnaire qui réfléchit à propos de sa carrière.

Provenant de l'intérieur et conformément aux valeurs véhiculées par nos sociétés occidentales, on trouve souvent une insatisfaction reliée aux besoins d'acquisition de biens matériels qui, pour être satisfaits, exigent une activité rémunérée. L'insatisfaction concerne aussi, parfois de façon plus marquée, l'acquisition de connaissances et d'expériences personnelles enrichissantes.

La possession, l'accumulation d'avoirs engendre un nouveau besoin: celui de protéger ses acquis en cas de perception du danger de les perdre par inadvertance ou aux mains de personnes malveillantes. Cette dynamique protectionniste fait d'ailleurs le plus grand bonheur des compagnies d'assurances. Ce besoin est particulièrement mis en évidence par la paranoïa dont semblent souffrir nos voisins du Sud qui ne veulent à aucun prix se départir de leurs armes, pour se défendre, allèguent-ils, contre un agresseur éventuel.

Encore plus importante, selon moi, est l'insatisfaction liée au besoin d'établir des liens de confiance, d'empathie, d'appartenance, d'amitié, de respect, ainsi que l'insatisfaction liée aux besoins spirituels qui ont été refoulés aux derniers rangs de l'échelle des valeurs prônées par les sociétés capitalistes.

Des réflexions et des suggestions de résolution de cette crise sont proposées dans les deux chapitres qui suivent.

La recherche de sens

Quelque part au milieu de cette crise, tu voudras trouver le sens de ton travail de gestionnaire. Comme exercice préparatoire, je te propose une réflexion qui va du général au particulier, du sens de ***la*** vie au sens de ***ta*** vie, et du sens de ta vie au sens de ton travail.

Donner un sens à la vie et donner un sens à sa vie sont deux questions qui se ressemblent, mais qui amènent pourtant des réponses bien différentes. Si on veut réfléchir aux deux questions, il est préférable de répondre d'abord à la première, plus globale et dont la réponse pourrait être la même pour tous.

Ce chapitre a pour objectif de t'aider à amorcer ces réflexions. Les éléments qui y sont traités se veulent seulement un point de départ. Assez rapidement dans la démarche tu te rendras compte que tu dois la poursuivre seul avec toi-même.

En bout de piste, il te revient de trouver tes propres réponses et de prendre les décisions conséquentes. Pour faciliter ce travail sur toi-même, les thèmes suivants sont traités dans ce chapitre.

Donner un sens à *la* vie

Donner un sens à *ta* vie

DONNER UN SENS À LA VIE

Donner un sens à la vie, c'est découvrir la réalité de l'Univers dans lequel notre existence s'inscrit et lui trouver un sens. C'est ainsi qu'on arrivera à la question qui touche chacun de nous comme individu, celle qui donnera un sens à notre propre vie, qui permettra de découvrir les raisons qu'on a de vivre. C'est faire le pari que la vie vaut la peine d'être vécue.

Imagine...

Assis sur les marches d'un chalet en bois rond, en pleine forêt, par une nuit calme et claire, tu projettes ton regard vers le firmament. Tu es ébloui par la nuée d'étoiles qui brillent de tous leurs feux.

Nombreuses, ces étoiles, n'est-ce pas ? Et pourtant, elles ne sont qu'un pâle reflet, qu'un faible aperçu de la Voie lactée, notre galaxie, composée de quelque cent milliards d'étoiles et d'un plus grand nombre encore de planètes semblables à notre belle Terre.

Projette encore plus loin ton regard et là, vraiment, imagine cette réalité de centaines de milliards de galaxies comme la nôtre qui s'éloignent les unes des autres à une vitesse proche de celle de la lumière.

N'es-tu pas ébahi devant une telle immensité ?

Imagine encore...

Que cet Univers est composé de particules tellement minuscules que même les microscopes les plus puissants ne permettent pas de les voir, et encore moins de les mesurer. Dans mes jeunes années, quand j'étudiais en physique, on m'a appris que les électrons, protons et neutrons étaient les particules élémentaires, indivisibles, qui constituaient l'Univers. Plusieurs dizaines d'années plus tard, cette réalité est tout autre : protons, électrons et neutrons sont composés de quarks qui sont considérés aujourd'hui comme les constituants fondamentaux de la matière. Ce n'est que dans les vingt dernières années qu'on a pu les détecter, alors que les mathématiques en avaient longtemps d'avance affirmé l'existence.

N'es-tu pas abasourdi par le fait que la matière n'est finalement pas matière mais simple association de particules d'énergie ? Et encore, question particules, il faudrait voir.

Un dernier effort d'imagination...

Assis sur ta marche, tu réfléchis à tout cela. Essayant de comprendre, tu constates que toute cette réflexion prend naissance dans ce petit kilogramme de cellules nerveuses qui constituent ton cerveau.

Et, encore une fois, replonge dans l'inimaginable : ce cerveau si petit est composé de 100 milliards de cellules nerveuses qui ont, chacune, des milliers de points de connexion avec d'autres neurones ou avec les organes du corps.

Peux-tu alors imaginer cet inextricable réseau à travers lequel circulent un nombre incalculable de signaux électriques et chimiques ? Les cerveaux dits électroniques sont d'une simplicité enfantine en comparaison de celui-ci qui, en plus, est capable d'invention, d'intuition, d'émotion et, surtout, de conscience.

N'es-tu pas émerveillé devant une telle complexité ?

Pour ma part, quand je fais ce périple imaginaire, je me sens si petit, à la fois poussière dans l'Univers et intelligence bornée devant tant de complexité. Et pourtant, je me sens quand même si grand par ma conscience qui peut « voir » tout ça.

Je me pose alors la question : Cette conscience a-t-elle pu jaillir de la matière comme la tulipe jaillit du sol au printemps ? De l'infiniment grand à l'infiniment petit en passant par l'infiniment complexe, je me demande si tout cela a pu être produit par hasard, à partir d'une masse initiale de simples particules élémentaires, il y a de cela environ 15 milliards d'années.

Ma réponse toute personnelle, issue de cette logique cartésienne qui me guide souvent, c'est non.

Mon *credo* – que je me permets d'exprimer avec la plus grande humilité et que je ne te demande pas de partager – c'est que l'Univers est un Être qui a une unité et qui vit. Je suis une partie, si infime soit-elle, de cet Être dont je ne puis concevoir la vraie nature, pas plus que l'une de mes cellules, elle-même dotée d'une certaine intelligence, ne peut concevoir ce que je suis. Le passage du niveau inférieur au niveau supérieur est impossible. Si j'ai compris un tant soit peu Teilhard de Chardin, que j'ai peu lu d'ailleurs parce qu'il est un peu ardu à comprendre, cet Être correspondrait peut-être à son fameux « Point Oméga », point de convergence ultime du cosmos à partir duquel Dieu se révèle[8].

Je ne peux aller plus loin. Ces réflexions suffisent à me convaincre que l'Univers a un sens et que, forcément, ma vie a aussi un sens, telle qu'elle se présente. Que l'Univers et ma vie aient un sens implique que j'ai un rôle à jouer, si ridiculement petit qu'il puisse paraître, dans la grande pièce de la Vie.

Là est le plus difficile. Il faut que je m'oriente. Il faut que je me situe dans cet Univers qui a un sens, que je précise le sens de la vie qui y est apparue il y a quatre milliards d'années et dont l'apothéose en est l'*Homo sapiens sapiens*, toi et moi en l'occurrence. Il faut que j'y découvre le sens de ma propre vie.

◆ ◆ ◆

N'est-il pas angoissant d'avancer dans la vie quand on n'y voit rien, quand on ne sait ni d'où on vient ni où on va ?

L'enfant a peur dans le noir. L'imagination que Malebranche appelait la *folle du logis* crée des monstres et des fantômes. Nous sommes tous un peu des enfants devant les grandes questions philosophiques.

8. BROSSE, Jacques. *Les maîtres spirituels*. Paris, Éditions Bordas, 1988.

DONNER UN SENS À TA VIE

Trouver un sens à ta vie, c'est du même coup donner un sens au travail, donner un sens à ton travail. Tu dois alors pousser plus loin et rechercher le sens du travail spécifique que tu as choisi.

Car toi, gestionnaire, tu as choisi librement cette profession, contrairement à la majorité des travailleurs qui n'ont que peu de choix et qui doivent se contenter de saisir l'occasion qui se présente, qu'elle corresponde ou non à leurs préférences et à leurs compétences.

Jusqu'à récemment, les humains, tribus isolées et autarciques d'Afrique et d'Amérique du Sud, et même les bonnes gens – quand même éduquées – de nos campagnes, disposaient de réponses simples et définitives fournies par les sorciers, les gourous, les grands prêtres de toutes allégeances. Toutes les organisations sociales, toutes les races ont eu et ont encore leurs dieux à caractère humain, parfois bons et généreux, parfois méchants et punitifs. Toutes ont eu besoin de croire en un au-delà, en une vie dans un ailleurs un peu mythique.

Aujourd'hui, ces réponses sont devenues insuffisantes parce que la vie est devenue en apparence insensée devant le chômage qui détruit l'estime de soi, la souffrance physique et psychologique qu'on trouve partout dans le monde, les génocides qu'on voit se produire en direct à la télévision, des guerres qui persistent même en ces temps de valorisation de la paix, le nombre de suicides qui a doublé en seulement vingt ans, la pauvreté et la souffrance omniprésentes autour de nous.

Tout cela, c'est la réalité de nos sociétés modernes.

L'information omniprésente, envahissante même, fait qu'on est plus sensibilisé qu'autrefois à la souffrance qui nous entoure. Cette prise de contact forcée doit t'amener naturellement à te questionner et, si tu te questionnes, c'est par le biais de ta conscience, cette caractéristique propre à l'être l'humain.

En effet, l'animal a, comme nous, une pensée. Elle se limite toutefois à être opérationnelle comme dans la recherche de nourriture, par exemple. L'animal a des connaissances instinctives présentes à sa naissance: un poussin saura picorer adéquatement dès sa sortie de l'œuf. Il a aussi des connaissances qu'il assimile après sa naissance; ainsi, il apprendra à rechercher sa nourriture dans un endroit plutôt que dans un autre.

L'animal n'est pas conscient de tout cela. Il utilise ses connaissances sans savoir qu'il a ces connaissances. Il les a, c'est tout, et il s'en sert comme il se sert de ses pattes pour marcher sans réfléchir à la marche. L'animal ne se voit pas agir, il agit simplement. Il ne se voit pas vivre, il vit simplement.

L'humain a aussi des connaissances, certaines innées et la plupart acquises au cours de sa vie.

Comme l'animal, l'humain sait. **Cependant, à la différence de l'animal, l'humain sait qu'il sait**. C'est pourquoi on l'a appelé *Homo sapiens sapiens*, car il jouit d'un niveau supérieur de conscience.

En tant qu'humain, tu te vois agir et tu vois les autres agir. Tu t'observes et tu observes les autres, et tu as la possibilité de modifier tes comportements, de faire des choix.

C'est cette conscience de toi-même et de ta finitude qui est génératrice d'angoisse et qui t'amène à te questionner sur le sens de *ta* vie. Tu pourras découvrir ce sens dans diverses directions, selon le point où tu en es dans ta vie. Je te propose ici quatre constantes qui, selon moi, peuvent alimenter le désir de vivre.

PREMIÈRE CONSTANTE : ***L'INSTINCT DE SURVIE***

Observe la réaction du cancéreux à qui on annonce qu'il ne lui reste que quelques mois à vivre. Il commence par nier cette réalité insupportable, puis c'est la colère et la révolte qui éclatent. Pourquoi? Parce qu'il veut vivre! Et le goût de vivre n'est jamais aussi criant qu'à ce moment-là. Ne vas pas lui demander quel sens il donnerait à sa vie. Il veut vivre, c'est tout.

Il existe une constante universelle chez tous les êtres vivants et c'est la tendance à maintenir la vie, même dans les pires conditions. Tous sont programmés génétiquement pour assurer leur survie propre et la survie de leur espèce. Dans le premier cas joue le réflexe automatique de combattre ou de fuir dans les circonstances où un individu se croit en danger de mort. Ainsi, le loup pris au piège va se ronger la patte jusqu'au point de la couper pour se libérer parce que son instinct lui dit que c'est à cette condition qu'il survivra. Dans le cas de la survie de l'espèce, le programme génétique fait en sorte que l'acte destiné à assurer la reproduction est agréable et que l'animal, humain ou autre, a tendance à le faire en recherchant l'intense plaisir qu'il y trouve. Le sens biologique de la vie, c'est de vivre et de se reproduire, simplement.

Le clochard a froid, il a faim, il n'a pas d'abri. Même ses besoins vitaux ne sont pas satisfaits. Il serait facile pour lui de se laisser mourir. Et pourtant, il fait tout pour survivre : il va *faire* les poubelles pour quelques sous de cannettes vides, il va quêter en plein centre de la rue principale à l'heure d'affluence, il va subir la honte de mendier la soupe populaire et de vivre aux crochets de ses semblables.

La mère de famille monoparentale de quatre enfants ne se pose pas la question du sens de la vie. Le sens de sa vie, c'est d'assurer la survie de ses enfants et elle n'envisagera jamais, même dans les pires conditions, de s'évader de cet enfer, à moins de souffrir d'une grave maladie mentale.

DEUXIÈME CONSTANTE : ***LA RECHERCHE DU BONHEUR***

Il existe une constante universelle chez tous les humains : la recherche du bonheur.

Personne n'y échappe, du pire criminel au plus grand sage. Il faut toutefois faire attention : **dans nos sociétés occidentales, la publicité nous invite à rechercher le plaisir, ce qui est bien différent du bonheur.** Beaucoup de personnes confondent les deux.

Je présente dans les paragraphes qui suivent ce que c'est pour moi le bonheur, comme je le ressens au plus profond de moi-même.

J'ai exposé dans les pages qui précèdent ma conviction selon laquelle l'Univers a un sens et que, forcément, ma vie aussi a un sens. Ce constat me permet de me situer dans cet Univers et il m'amène à réaliser, humblement, que je n'en suis pas le centre comme j'ai parfois l'air de le croire tellement je me prends au sérieux. Il met en évidence ma petitesse et ma grandeur à la fois; il me permet de donner un sens à ma vie.

J'ai aussi abordé le thème de l'angoisse existentielle que je développe davantage plus loin dans cet ouvrage. Cette angoisse explique mon incapacité à vivre le moment présent, ma tendance à négliger l'action immédiate au profit d'une action anticipée.

Dans le chapitre 3, je propose une approche à la conscience de soi, celle que j'ai moi-même suivie. Cette approche m'a ouvert les portes qui donnent sur le chemin de la connaissance de soi: la porte de la vigilance qui s'ouvre lorsque s'arrête le bavardage mental, et la porte de l'acceptation de ce qui est. Elle me fait entrevoir l'enfer de mes désirs, de cette recherche de plaisir qui me transporte hors du moment présent et qui est à l'origine de mes souffrances.

Quelque part dans ce cheminement le bonheur se manifeste, à la condition cependant de poursuivre la route car il n'y a pas de destination finale à ce parcours. Il n'y a pas de but, mais plutôt une intention: celle de cheminer. Le bonheur n'est ni dans les choses, ni dans les gens, il est en moi.

◆ ◆ ◆

> *Bonheur signifie pour moi sérénité, c'est-à-dire un état de calme, de paix, de tranquillité, de joie profonde qui ne peut être troublé par les évènements de la vie, quelque pénibles qu'ils puissent être.*

La sérénité, c'est l'état contraire à l'agitation, aux passions dérangeantes, aux émotions incontrôlées. L'homme serein fait confiance à la vie, il ne se préoccupe plus de satisfaire ses besoins car il sait que la vie s'en chargera. À la limite, le meilleur test de la sérénité, c'est d'en vérifier la présence devant la mort. La condition, c'est qu'en se retournant vers son passé on puisse se dire : « J'ai vécu intensément les moments de la vie, j'ai fait de mon mieux, je suis satisfait ! » Le contraire conduit au désespoir, car la vie ne permet pas les reprises.

La sérénité n'est pas non plus dans le sentiment de puissance et de contrôle procuré par un intellect supérieur qui s'amuse et danse avec les concepts les plus abstraits. S'appuyer uniquement sur son intellect entraîne l'atrophie des mécanismes de contact avec son corps et avec ses affects qui, fortement perturbés, peuvent faire perdre la plus belle assurance.

Mais, attention ! La sérénité n'est pas un état passif, sans émotions, sans vie, sans intérêt, mais bien un état qui permet de voir le monde, les gens, avec un regard neuf, qui ne soupèse pas et ne juge pas, qui est plutôt acceptation totale de ce qui est. C'est un état de lucidité enrichissante qui possède un grand pouvoir à la fois d'émerveillement et de détachement à l'égard de ce qu'on découvre. La sérénité est indifférente à la louange comme aux injures. L'homme serein est heureux des rencontres de la vie, sans les solliciter ni les rejeter. L'homme serein ne se questionne plus sur le sens de la vie ni sur la signification possible de tout ce qui arrive.

Permets-moi de citer Suryakanta[9], Français d'origine qui, à l'instar d'Arnaud Desjardins cité plus loin, a choisi la voie de la philosophie orientale et a su en rendre l'essentiel accessible à l'homme occidental : « Le but de la vie est le bonheur. Le bonheur ne se trouve ni dans la jeunesse, ni dans les richesses, ni dans les étreintes éphémères, ni dans la domination des autres. Le bonheur n'existe que dans la conscience de soi, dans la conscience de la Réalité [...] Tout ce qui a nuance ou forme se résout, en fin de compte, en une vague du mental. Sois indépendant de la vague. Reste indifférent aux mouvements de ton mental. »

9. SURYAKANTA. *Le bonheur par la conscience de soi,* Paris, Éditions de l'Épi, 1975.

◆ ◆ ◆

Imagine-toi flottant sur un lac dont la surface est agitée par les vagues. Descends doucement sous la surface et observe que plus tu descends, moins la turbulence des vagues t'atteint, et qu'alors s'installe en toi un état de calme de plus en plus profond.

Plus pragmatique, le philosophe grec Épictète[10] disait qu'il y a dans la vie deux sortes de choses : celles qui dépendent de moi et celles qui n'en dépendent pas. Celles qui en dépendent sont mes opinions, mes gestes, mes désirs, mes inclinations, mes aversions, bref toutes mes actions. Celles qui ne dépendent pas de moi sont tout le reste, tout ce qui n'est pas mon action propre, incluant ma réputation, les pensées et opinions des autres, les évènements naturels. La sérénité, c'est de pouvoir distinguer ces choses, de faire au mieux ce que je dois faire et de ne pas me préoccuper de ce qui n'est pas de mon ressort.

Les valeurs véhiculées par la société sont d'abord des valeurs de compétition, de concurrence, de primauté du pouvoir que confèrent l'argent ou la position sociale. Les personnes qui adoptent ces valeurs adoptent en même temps le sens qu'elles donnent à la vie humaine. De même, quand j'étais jeune et qu'on me disait qu'il y avait un Paradis pour moi si je menais une bonne vie, cela conférait déjà un sens à ma vie.

Quand on y pense bien, avoir le loisir de réfléchir au sens à donner à sa vie, c'est le privilège – mais aussi la souffrance – des personnes matériellement assez bien nanties.

TROISIÈME CONSTANTE : **LA RECHERCHE D'IDENTITÉ**

Une autre constante consiste pour l'être humain à se voir comme unique, à se trouver une identité propre et, dans cette identité, à être reconnu comme quelqu'un digne d'être aimé.

10. ÉPICTÈTE. *Ce qui dépend de nous,* Paris, Éditions Arléa, 1995.

Imagine qu'on te dépose dans une rue achalandée où les passants te croisent et te côtoient sans jamais te regarder, sans te sourire, sans te toucher, où les autres t'ignorent totalement, ne te répondent même pas si tu leur adresses la parole. Au bout de quelques jours, tu n'en pourras plus, tu les supplieras de te regarder au moins, de te reconnaître comme quelqu'un qui existe vraiment. Au bout d'une couple de semaines, c'est l'aliénation, c'est la folie qui te guette.

La recherche d'identité se fait à tous les âges, mais elle prend des allures différentes selon l'étape de la vie où on est parvenu.

Durant les **dix premières années** de la vie, les enjeux résident dans le développement de la confiance en l'environnement d'abord, en soi ensuite, dans l'initiative qui comprend le droit à l'essai et à l'erreur et dans la compétitivité par rapport aux autres enfants. L'enfant ne se questionne pas. Le sens de la vie pour lui, c'est de vivre intensément.

La quête d'identité est l'enjeu de la décennie suivante, celle de la trouble **adolescence**. Le sentiment d'être quelqu'un d'unique et de significatif est fondamental pour le bien-être intérieur de l'adolescent. Laissé à lui-même, s'il ne trouve pas de compensation satisfaisante auprès d'un groupe adéquat d'appartenance, il risque de vivre des périodes de terrible angoisse, de sentir que personne ne l'aime vraiment et de s'aimer bien peu lui-même.

Beaucoup de jeunes vont faire une tentative de suicide à cet âge en guise de message pour exprimer leur mal de vivre. Malheureusement, plusieurs réussissent. Ils ne voient pas de sens à cette vie, en particulier les décrocheurs qui ne voient pas l'utilité de trimer dur durant encore plusieurs années pour se retrouver au chômage de toute façon ou pour avoir une vie où le travail prend toute la place, ne laissant que peu de temps pour soi.

Pour le **jeune adulte** dans la vingtaine, plus conscient et mieux adapté à son environnement, de nouveaux enjeux prennent place : au besoin d'autonomie financière s'ajoute le besoin d'établir une relation amoureuse stable en vue de fonder un foyer, d'avoir des enfants. Le sens de la vie durant toute la vingtaine et jusqu'au milieu de la trentaine sera centré sur la recherche du travail stable et rémunérateur, de l'amour et de la générativité, soit avoir des enfants et les conduire jusqu'à la maturité. Le jeune père de 30 ans qui donne le bain à ses enfants en les regardant avec amour ne se questionne pas sur le sens qu'il donne à sa vie : les soins qu'il donne à ses enfants contiennent en soi leur propre sens.

C'est souvent durant cette période que la promotion comme gestionnaire arrive, et c'est souvent à ce moment que l'individu fait les bons comme les mauvais choix qui dicteront le sens futur de sa vie.

Au **mitan de la vie**, entre 35 et 50 ans, la progression de la carrière prend une place prépondérante. Il y a trente ans, ce phénomène était pratiquement réservé à l'homme, alors qu'aujourd'hui c'est devenu un phénomène universel qui touche tout autant les femmes qui, pour plusieurs, demeurent sur le marché du travail. À la base, il y a le besoin fondamental de se réaliser dans la vie. Cependant, pour beaucoup cela se traduit par l'accession à un plus grand confort matériel, par l'établissement en petit-bourgeois selon l'acception populaire du terme, soit posséder sa propriété, avoir deux voitures à la porte, faire son voyage annuel dans le Sud.

On peut voir à quel point le travail donne un sens à la vie d'un individu quand on observe les dégâts psychologiques chez les personnes qui, sans l'avoir pressenti ni prévu, sont mises de côté alors qu'elles se croyaient importantes, sinon indispensables, dans leur organisation. Le choc est traumatisant. Et quand la personne se trouve derrière un bureau et qu'on ne lui donne rien à faire, elle finit par craquer. Que cela prenne un mois ou un an, toute personne va rencontrer ce mur de la perte d'identité et de reconnaissance comme personne valable.

À l'**âge mûr**, de 50 à 65 ans, l'humain ayant acquis une certaine stabilité et ayant aussi plus de temps disponible, le besoin de s'occuper des autres, d'en prendre soin, lui apparaît avec plus d'acuité : les petits-enfants qui arrivent, les collègues de travail plus jeunes et qui ont besoin d'un mentor, d'un conseiller personnel pour les aider à s'adapter plus rapidement au milieu exigeant du travail. C'est une période souvent plus calme, plus sereine, parce que les ambitions non réalisées sont mises de côté alors qu'on se rend bien compte qu'il est trop tard. Le rôle de pourvoyeur de la famille s'achève aussi à cet âge.

Enfin, arrivé au **milieu de la soixantaine**, on a moins à s'occuper des autres qui sont devenus plus autonomes ; d'ailleurs, on se sent plus fatigué et on dispose de moins d'énergie à consacrer aux autres. On devient plus conscient de sa finitude. C'est l'âge où on regarde en arrière et où on fait le bilan de sa vie. Ah, bien sûr ! ce n'est pas nécessairement volontairement et consciemment qu'on le fait. Ça se fait naturellement, qu'on le veuille ou non. Seuls y échappent, sur une base temporaire, ceux qui se fuient eux-mêmes, qui s'étourdissent dans une activité incessante tous azimuts.

C'est alors qu'on devrait se dire que, dans le fond, on a fait des faux-pas, commis des erreurs, qu'on a parfois fait souffrir des personnes qu'on aimait, mais qu'en général on peut être satisfait de soi. En effet, on a aimé les gens qui étaient près de soi et, dans l'ensemble, on a fait plus de choses positives que négatives. Sinon, c'est le désespoir qui s'installe parce qu'on sait bien qu'il est trop tard pour se reprendre, pour recommencer en étant meilleur.

QUATRIÈME CONSTANTE : ***LE BESOIN D'AMOUR***

« Je ne pourrais pas vivre sans toi... », dit l'amoureux fou pour qui la vie n'a de sens que par et avec la personne aimée. Mais, cet amour possessif n'est en fait qu'un élan égoïste visant à satisfaire un énorme besoin de sécurité affective. Gustave Thibon[11] jette une douche encore plus froide sur l'amour passionné en le comparant à deux soifs qui, accolées l'une à l'autre, rêvent qu'elles boivent.

11. THIBON, Gustave. *L'ignorance étoilée*, Paris, Boréal Express, 1974.

Le véritable amour, celui qui veut véritablement le bien de l'autre, est profond et stable. C'est un élan tout aussi passionné, mais sans les émotions exaltantes de l'amour fou. C'est l'amour, par exemple, de mère Teresa pour les pauvres et les malades de Calcutta. Un tel amour de l'humanité contient en lui-même tout le sens qu'on peut vouloir donner à une vie.

Le gestionnaire, sans vouloir devenir une mère Teresa, a la possibilité de faire beaucoup de bien en saupoudrant un peu de compassion sur son environnement de travail, sur ses employés en particulier.

D'autres, et c'est le cas de la plupart d'entre nous, pourront offrir cet amour à des personnes de leur entourage. Il s'agit souvent de membres de notre famille qui ont besoin de nous. Le fait de leur venir en aide et de les soutenir en les accompagnant dans leurs souffrances donne un sens à notre vie.

Parler doucement à un enfant, sourire à un inconnu, écouter avec compassion quelqu'un parler de ses malheurs, donner un dollar au sans-abri par un froid dimanche d'hiver, tous ces gestes rendent l'autre heureux et, par un effet de miroir, me rendent aussi heureux. Tous ces gestes donnent un sens à ma vie.

Quand on commence à donner de l'amour, à vraiment être attentif aux besoins de l'autre, quel qu'il soit, et sans attendre en retour, on constate que l'on reçoit beaucoup plus que ce que l'on donne.

EXERCICE 1 RÉFLEXION SUR LE SENS

Est-ce que tu te poses parfois ces questions, à savoir pourquoi l'Univers existe, pourquoi la vie existe, pourquoi la conscience humaine existe?

Même si tu ne t'es jamais posé de telles questions, tu donnes forcément un sens à ce que tu fais, à ton existence. Peux-tu le mettre en mots, ne serait-ce que sommairement?

Pour répondre à cette question, sur quoi t'es-tu appuyé: sur ton intellect qui observe, analyse et conclut ou bien sur les croyances qui t'ont été inculquées, une sorte de foi bien établie en quelque chose?

Arrête-toi un instant encore et demande-toi si le plus important dans ta vie ne serait pas la recherche du bonheur!

Et le bonheur, où crois-tu le trouver:

- Dans l'affection échangée en famille avec ton conjoint et tes enfants?
- Dans le contact avec les amis à travers tes activités sociales?
- Dans les activités physiques ou intellectuelles que te procure ton travail?
- Dans le plaisir des loisirs de toutes sortes: intellectuels, sportifs, culturels?
- Dans l'extase de l'étreinte passionnée?

D'après mon expérience professionnelle, je puis affirmer que, selon chacun de nous, l'une ou l'autre de ces réponses, en apparence bien disparates, peut être retenue.

Si ta réponse n'est pas dans cette liste, alors pourrait-elle être que le bonheur est simplement en toi-même sous forme d'un état de sérénité que tu aurais développé à travers tes expériences de vie, sans qu'il y ait besoin d'y trouver des causes?

As-tu le sentiment de participer activement au bonheur de ton conjoint et de tes enfants en créant une atmosphère d'harmonie et d'amour par ta présence, tes attitudes, tes comportements, tes propos, tes gestes de tendresse et tes encouragements?

2 La découverte de ses valeurs

Du sens qu'on se donne dans cet univers se dégage un ensemble de croyances quant à ce qui est important et ce qui l'est moins dans la vie. Forcément, il en découle des valeurs, des principes, des priorités.

Situation critique s'il en est : on aboutit rapidement à des choix de modes de vie qui peuvent interférer de façon importante avec les orientations de production et de consommation prônées par nos sociétés occidentales.

Voir venir ce conflit lorsque tu dois faire un choix de carrière, surtout celui de devenir gestionnaire, peut te permettre d'éviter d'être malheureux au travail, ce qui, forcément, déteindrait sur toutes les autres facettes de ta vie.

Voici les deux thèmes traités ici.

Se dégager un ensemble de valeurs

Concilier vie personnelle et vie professionnelle

SE DÉGAGER UN ENSEMBLE DE VALEURS

UNE RESPONSABILITÉ INDIVIDUELLE D'ABORD

L'entreprise peut, et elle devrait même, te soutenir dans ta recherche d'un sens à ton existence qui servira de base au choix de tes valeurs de vie. Idée originale, n'est-ce pas ? Ça viendra peut-être un jour. Il demeure que, fondamentalement, un choix de valeurs c'est un choix individuel au premier chef, et **il te revient, en tant qu'individu libre et responsable, de compléter ta réflexion et de réaliser les actions appropriées.**

Cela est d'autant plus vrai que l'entreprise, à l'instar des grands financiers de ce monde, aura une tendance toute naturelle à te proposer d'adopter des valeurs qui feront bien son affaire, qui la rendront plus prospère. En effet, quel haut dirigeant croira vraiment que le fait de réduire l'importance relative du travail dans la vie de ses employés augmentera la productivité globale et facilitera l'atteinte des objectifs de maximisation des profits de l'entreprise ?

Joe Dassin, dans la très belle chanson *Les jardins du Luxembourg*, fait un troublant constat sur lui-même : **« Je voulais réussir dans la vie et j'ai tout réussi, sauf ma vie »**, dit-il.

Cette phrase devrait t'amener à te demander si ton ambition première consiste à réussir dans la vie ou à réussir ta vie. Si tu deviens l'homme le plus célèbre du monde, ou l'homme le plus riche du monde, et que ce faisant tu fais souffrir ceux-là que tu dis tant aimer par ton absence, ton autocratisme, ta suffisance, ton incapacité d'écoute, comment alors peux-tu être profondément heureux, à moins de mettre des œillères ?

Les canons de la réussite dans la vie affirment qu'elle consiste à atteindre une position sociale élevée, à être reconnu comme quelqu'un d'important, de compétent, de brillant, de riche. Pour ma part, je crois que réussir sa vie, c'est en arriver à être heureux la plupart du temps, se sentir bien dans sa peau, se sentir serein, sentir qu'on rend d'autres personnes heureuses.

Savoir faire la différence entre réussir dans la vie et réussir sa vie, connaître ce qu'on recherche, ce qu'on croit important dans la vie, ce qu'on obtient et ce que cela signifie au plus profond de soi-même, c'est un peu cela être conscient.

Tu as choisi la profession de gestionnaire et tu t'y trouves probablement, comme la majorité de tes confrères, à l'aise et heureux. On peut définir la gestion de multiples façons, mais cela implique la plupart du temps de diriger des personnes, et cette activité peut procurer de grands défis et d'intenses satisfactions dont le prestige, la rémunération, le pouvoir de donner des ordres et, non négligeable, le sentiment de participer au mieux-être collectif.

Mais, si demain tu constates que tu t'es trompé de chemin, que tu ne te trouves ni à l'aise ni heureux, oseras-tu abandonner ton poste de cadre, faire un choix qui n'est pas dicté par tes proches, tes amis, tes collègues ou tes patrons ? Oserais-tu prendre le chemin de ce qui t'enthousiasme, de ce qui te passionne, de ce qui répond à tes aspirations les plus profondes ?

Si tu fais cela, tu seras félicité pour ton courage et beaucoup admettront qu'ils aimeraient, comme toi, se choisir et procéder à un changement radical. Cependant, bien peu auront le courage de le faire. Bien peu choisiront librement de réduire leur statut, leur revenu et le confort qui y est associé en échange du plaisir ineffable et constant d'une activité aimée et valorisante et d'une vie relationnelle et intellectuelle largement enrichie.

C'est ce que j'ai constaté quand j'ai fait une telle démarche au mitan de ma vie.

Il est malheureusement rare, sauf dans les grandes entreprises très spécialisées, que le travail de fond soit reconnu et apprécié au même degré que le travail de direction. Tu crois que ta position de directeur te confère un pouvoir d'orientation, mais penses-y sérieusement et demande-toi si ta position te permet véritablement d'infléchir le cours des choses.

Ah ! bien sûr, la position de gestionnaire te procure le sentiment, justifié d'ailleurs, d'agir sur un plus grand nombre de dossiers et auprès d'un plus grand nombre d'intervenants différents. On fait continuellement appel à ta présence, à tes décisions, et tu as le sentiment d'être très important. Cela te permet aussi de t'activer à un point tel que les petites angoisses quotidiennes en sont soulagées parce qu'elles n'ont plus de place dans ton esprit si encombré de « vrais » problèmes.

Alors, est-ce que c'est le plaisir de la variété des thèmes et des actions entreprises et l'absence de temps morts qui te stimulent, c'est-à-dire le plaisir de l'action en tant qu'action, ou bien est-ce simplement le plaisir tiré de l'exercice du pouvoir, qu'il soit réel ou fictif ?

Le plaisir de l'action, c'est de faire ce que tu crois être le plus stimulant et agréable pour toi, ton créneau de spécialisation. Le plaisir du pouvoir, c'est soit la capacité de décider des orientations, soit la capacité d'aller chercher plus de ressources en démontrant l'importance des dossiers que tu diriges, soit la possibilité d'accéder à une plus grande visibilité dans ton organisation et de grimper un peu plus haut dans l'échelle sociale.

Le choix à faire, c'est le choix du chemin, de la voie, un peu comme l'enseigne le Tao[12] : **« L'important ce n'est pas le but, l'objectif ; l'important c'est chaque pas qui est fait sur le chemin choisi. »** Rejoignant les autres sages orientaux, cela signifie que l'important c'est l'ici et maintenant, c'est-à-dire l'action que tu fais d'instant en instant en y portant toute ton attention.

Avoir ou être[13] ? Thésauriser argent, connaissances, possessions, statut social, tous des « avoirs », ou bien récolter au jour le jour la manne relationnelle et affective donnée par ceux qui nous entourent, denrée périssable du domaine de l'« être » qui doit se consommer sur place sans possibilité de l'engranger ? Adopter les valeurs productivistes de notre société ou choisir les valeurs humaines proposées par les sages de tous les temps ?

---

12. LAO-TSEU. *La Voie et sa vertu, Tao-tê-king,* Paris, Éditions du Seuil, 1979.

13. FROMM, Erich. *Avoir ou être ? Un choix dont dépend l'avenir de l'homme,* Paris, Robert Laffont, 1978.

Une fois que tu as progressé sur la voie de la conscience, tu as pu arrêter facilement ton choix sur l'une ou l'autre de ces philosophies de l'avoir ou de l'être. La difficulté consiste maintenant à t'engager résolument et sans compromis sur la voie de ce choix sans te retourner, sans regarder en arrière.

Concilier vie personnelle et vie professionnelle

Une grande quantité de cadres passent le plus clair de leur temps sur leur lieu de travail et, dans certaines organisations, ils travaillent de cinq à dix heures par fin de semaine. Quand tu as quitté ton foyer à sept heures le matin et que tu y reviens à six heures le soir, as-tu réussi, chemin faisant, à t'extraire de tes soucis professionnels ? As-tu seulement essayé ?

Dans ce monde des cadres qui est le tien, toute baisse de régime est souvent perçue comme une faiblesse par tes collègues et tes patrons. N'as-tu pas l'impression qu'on s'attend à ce que tu consacres ta vie à l'organisation ?

Ah ! bien sûr, on te souffle à l'oreille – admirable compréhension – que tu dois t'occuper de ta famille, que tu dois avoir des loisirs. Mais, dans les faits, on te crie à tue-tête – résultats obligent – de livrer la marchandise pour hier.

Bien que la vie professionnelle offre l'argent, un lien social, un lien politique, un lieu de création et une source de développement personnel, le travail ne doit demeurer qu'un moyen.

◆ ◆ ◆

Pour garder un équilibre, il est nécessaire d'avoir d'autres lieux et d'autres investissements de vie que la seule profession.

Si tu crois que la performance ne s'obtient qu'au prix d'une négation de ta sensibilité et d'une focalisation exclusive sur les missions et objectifs que l'organisation te confie, alors je crois que tu commets une grave erreur que tu risques de payer cher en échecs ou en drames.

Tu seras conduit tôt ou tard à dresser un certain bilan de ta vie, et le réveil pourra alors être très dur. Tu dois réaliser que le point d'équilibre que peut procurer ta famille est fragile s'il se limite au coucher des enfants et à ta présence auprès d'eux le samedi après-midi et le dimanche matin, entre la lecture du journal, le suivi des nouvelles et du sport à la télévision et le traitement à distance des courriels de ton bureau.

Permets-moi de rappeler ici les paroles d'une chanson du groupe Harmonium: «**On a mis quelqu'un au monde, on devrait peut-être l'écouter.**»

Et j'élargis un peu: **on devrait peut-être s'en occuper**!

Une étude du gouvernement fédéral[14] mentionne des éléments encourageants: deux gestionnaires supérieurs sur trois qui ont pris leur retraite confirment que la recherche d'équilibre entre la vie professionnelle et la vie personnelle a été un facteur déterminant dans cette prise de décision, alors qu'**un cadre actif sur deux considère que la conciliation vie professionnelle et vie personnelle est une raison suffisante pour refuser de l'avancement.**

Dans les décennies qui ont suivi la Révolution tranquille, nos parents, nos enseignants, nos dirigeants et surtout nos employeurs – qui en profitaient largement – véhiculaient le cliché «Un cadre n'a pas d'horaire et ne compte pas ses heures». Comme pour légitimer une telle aberration, on apportait notre attaché-case à la maison tous les soirs et toutes les fins de semaine. Bien souvent on ne l'ouvrait même pas, mais le mal était fait: on avait en tête le bureau plutôt que la présence de nos proches.

Ne trouves-tu pas toi-même difficile d'assumer tous les rôles que tu devrais jouer? Ne sens-tu pas le poids et les exigences de tes rôles familiaux (partage des rôles entre les conjoints, investissement des parents dans l'éducation, la formation, les activités des enfants, s'occuper des parents vieillissants) et de tes rôles sociaux (souci de maintenir des activités de loisirs en matière sportive, culturelle, associative, etc.), sans compter tes rôles professionnels?

---

14. STOYKO, P., et A. GAUDES. *Le juste équilibre: Guide à l'intention du gestionnaire sur le mieux-être en milieu de travail*, Table ronde du Centre canadien de gestion (CCG) sur le mieux-être en milieu de travail présidée par Yazmine Laroche, 2002.

Ne te sens-tu pas obligé de coller à tous ces rôles et, en conséquence, ne trouves-tu pas difficile de les assumer tous? N'as-tu pas ainsi une vision d'un idéal de toi devenu totalement inaccessible?

Ne trouves-tu pas que l'organisation a changé dans le sens que l'esprit de coopération et de collaboration a subi un glissement vers l'individualisme et la compétition? Ne sens-tu pas cela quand tu observes ce qui se passe autour de la table du comité de direction de ta direction générale? À ce sujet, je te propose une petite histoire de réunion de comité de direction dans la section qui porte sur l'adaptation dans le chapitre qui suit.

Autre point intéressant: les études montrent que ce conflit entre travail et famille est d'autant plus ressenti que les personnes sont plus fortement engagées dans leur travail que dans leur famille. Ce sont aussi celles-là qui connaissent le plus de difficultés dans leurs relations humaines au travail. Par contre, celles qui privilégient d'abord la famille perçoivent ce conflit de façon beaucoup moins aiguë.

Alors quoi? Doit-on conclure que les difficultés relationnelles relèvent essentiellement de la dynamique intérieure de la personne et que le milieu de travail n'est pas en soi plus propice qu'un autre milieu à la génération de conflits?

Aujourd'hui, la perte de nature professionnelle prend de plus en plus de place justement parce que le travail revêt une importance qui dépasse largement sa fonction économique. Il représente en effet une source de relations humaines et un lieu de sociabilité par excellence à la suite de l'affaiblissement de la famille, de la religion et du voisinage comme points d'ancrage des relations humaines. Le travail est donc à la base même du sens donné à la vie dans nos sociétés modernes.

Passé le mitan de la vie, alors que la fonction économique du travail est moins critique, si tu te trouves dans un environnement qui ne participe pas à la satisfaction de tes autres besoins socioaffectifs, alors tu risques fort de devenir désabusé, de perdre de vue le sens de ton travail et même de devenir cynique envers les dirigeants.

Il est reconnu que ce type de conflit engendre une augmentation du niveau général de stress chez un individu, une diminution de la performance au travail et une réduction du degré de satisfaction ressenti autant en milieu familial qu'en milieu de travail. La réduction ou, mieux encore, la résolution du conflit entre travail et famille réside dans l'habileté de l'individu à composer avec les multiples demandes génératrices de stress. Le mode de fonctionnement de la cellule familiale moderne fait en sorte que ce type de stress affecte plus de femmes que d'hommes.

De façon générale, l'adaptation au stress résulte des efforts cognitifs et comportementaux entrepris par les personnes pour gérer les demandes perçues qui excèdent leurs ressources disponibles. Le problème, dans le cas des conflits entre le travail et la famille, réside dans le fait que ceux-ci sont chroniques par leur nature même et qu'ils exigent ainsi un effort continu pour atténuer la détresse psychologique.

EXERCICE 2 RÉFLEXION SUR LES VALEURS

Ce que tu rêvais de faire dans la vie

As-tu un rêve d'enfance ? N'as-tu pas déjà dit « Moi, plus tard, je serai médecin, ou ingénieur, ou je dirigerai des gens » ?

____

____

Il y avait des motivations, des gains attendus de plaisir et de bonheur derrière ce rêve. Quels sont-ils ?

____

____

____

As-tu réalisé ce rêve ? Es-tu même seulement allé en direction de ce rêve ? À quel point t'en es-tu éloigné ? Était-il irréalisable ou l'as-tu considéré comme une fantaisie ?

____

____

____

Si tu as réalisé ton rêve, les attentes que tu y associais se sont-elles matérialisées ?

____

____

À propos des valeurs

Quand tu étais jeune, qu'est-ce que tes parents, tes enseignants te proposaient comme valeurs de vie ?

____

____

Qu'est-ce que tu en pensais toi-même ?
À quel moment est-ce devenu clair ?

Au point où tu en es, indique quelles sont les quatre choses qui peuvent te rendre le plus heureux dans la vie.

Passage à l'action

Est-ce que ce que tu fais sur le plan professionnel est conforme à ces valeurs ?

Que pourrais-tu faire pour t'en rapprocher ?

Quand vas-tu passer à l'action ?

Pourquoi maintenant, plus tard ou jamais ?

3 La quête de lucidité

Les deux chapitres qui précèdent t'invitent à donner un sens à ta vie et à dégager un ensemble de valeurs qui guideront ton action dans ta vie en général, bien sûr, mais surtout en tant que gestionnaire.

S'il advenait que, comme la majorité des gens, tu vives dans le brouillard de tes conditionnements, ce n'est que par ta conscience que tu pourras t'élever au-dessus de ce brouillard et t'engager dans une direction claire, sur une voie que tu auras soin de bien baliser.

Le présent chapitre te guide vers des prises de conscience qui te feront découvrir tes chaînes et tes automatismes. Elles seront parfois douloureuses, toujours dérangeantes. Tu auras tendance à les fuir, à éteindre la lumière, mais elles sont indispensables à ta progression vers une plus grande liberté et à une véritable responsabilité de tes actions, entre autres tes actions de gestion de personnes.

Sur ce grand thème de la lucidité issue de la conscience, les éléments suivants vont être traités dans ce chapitre.

La conscience de soi

Responsabilité, angoisse et culpabilité

L'estime de soi

L'ambition

L'adaptation

La projection

LA CONSCIENCE DE SOI

Dans mon essai sur la conscience de soi[15], je mets en évidence la nécessité de pouvoir jeter un regard objectif sur la réalité qui nous entoure, un regard qui va au-delà des apparences. Cela est bien illustré, je crois, par la fameuse allégorie de la caverne exposée par Platon dans son œuvre *La République*[16]. Voici un bref rappel très personnel de cette allégorie qui va dans le sens de ce qui est exposé ici.

Des hommes sont enchaînés depuis leur enfance dans une caverne et ne peuvent voir que la paroi du fond de la caverne. Derrière eux, un mur de quelques pieds de hauteur sur lequel d'autres hommes, libres ceux-là, parlent et font bouger des objets sous l'éclairage d'un feu qui brûle un peu plus loin derrière eux. Pour les hommes enchaînés, le monde réel est le monde des ombres projetées sur la paroi et du son des voix qu'ils entendent. Leur monde est un monde de perceptions ; ils n'ont jamais pu se retourner pour voir derrière eux le monde réel. À l'occasion, quelques-uns, plus éveillés que les autres, se mettent à douter de leurs perceptions. Ils sont tirés hors de la caverne et mis en contact avec la réalité des objets et des hommes ; ils deviennent alors capables de faire la distinction entre les perceptions et la réalité.

Quand tu t'extirpes hors des limites de tes perceptions, quand tu te places en position d'observer la réalité de ce que tu fais, de ce que tu ressens, de ce que tu penses, alors tu te rends compte à quel point tu vivais dans un monde d'ombres, à quel point tu as été conditionné par ton héritage génétique et par ton environnement de jeunesse.

Devenu adulte, tu auras reçu à divers degrés des aptitudes, des sensibilités physiques, affectives et intellectuelles et tu auras été programmé pour les utiliser de certaines façons. Tes prises de conscience te découvriront une à une toutes ces chaînes, tous ces automatismes ; elles te découvriront ta sensibilité, ta bonté, ta générosité, mais elles te révéleront aussi ton égoïsme, tes peurs, ta méchanceté, ta violence même.

---

15. DESBIENS, André. *La conscience de soi, une étude comparée des vues de la psychologie humaniste et de la sagesse orientale*, Essai de maîtrise en psychologie, Québec, Université Laval, 1992.

16. MAIRE, Gaston. *Platon, sa vie, son œuvre avec un exposé de sa philosophie*, Paris, PUF, 1966.

Il faut d'abord t'éveiller. Les gens vivent dans le sommeil parce qu'ils n'ont pas encore pris conscience de la multitude des conditionnements qui dirigent leurs actions. Et l'on ne peut être éveillé que par quelqu'un qui l'est déjà ou par un choc brutal de la vie, par exemple être tabletté*, c'est-à-dire être casé dans un bureau sans fenêtre, pas loin du patron, sans dossiers à traiter, sans responsabilités à assumer.

Il faut ensuite apprendre à libérer ton esprit occupé en permanence par le bavardage mental, ennemi numéro un de la conscience. Ce bavardage te mène dans des lendemains pleins de désirs et de rêves: monter en grade, obtenir une promotion, augmenter ta rémunération. Ces désirs activent le robot de production et de consommation qu'on veut faire de toi. Il t'entraîne hors de l'aujourd'hui si important, le seul que tu puisses vivre vraiment.

Le moyen le plus efficace pour suspendre l'activité mentale, c'est la méditation. Pour beaucoup la méditation est quelque chose d'excentrique (la lévitation), de religieux (la contemplation) ou de sectaire (le gourou). Ce n'est pas cela. La méditation est un exercice qui procure un état de calme intérieur, de silence, qui permet une lecture juste de la réalité, qui permet de s'élever au-dessus du brouillard de ses conditionnements.

Il y a bien sûr la technique – je devrais dire les techniques car il y en a des dizaines – qui aide à réaliser cet état. La technique n'est cependant qu'un outil. Elle n'est qu'un exercice ou une discipline qui peut nous amener éventuellement à vivre cet état de façon aussi permanente que possible.

---

* Néologisme utilisé au Québec pour désigner une personne qui est mise de côté et qui ne fait plus partie des plans de l'organisation qui est par ailleurs incapable de s'en départir. Le tabletté est victime soit de son incompétence, soit d'une réorganisation majeure, soit du fait qu'il déplaît à ses patrons (la raison la plus fréquente selon nous).

DEUX RÈGLES D'OR : ATTENTION ET ACCEPTATION

Cet état permanent est fait d'**attention**[17] à tout ce qui t'entoure, à tout ce qui se passe en toi en termes de sensations physiques, de montées de sentiments et de pensées réflexives. Pour que cette attention soit toujours disponible, il faut une intention, une vigilance et une ouverture à recevoir tout message qui se présentera, de l'intérieur comme de l'extérieur.

En tant que gestionnaire, tu te dis, consciemment ou non, que tu dois toujours avoir la maîtrise de tes sentiments et de tes émotions. Tu es peut-être de ceux pour qui la seule façon d'atteindre cette maîtrise consiste à faire un effort volontaire pour ignorer ce qui monte en toi de colère, de frustration, de pitié parfois, alors que le seul véritable contrôle est celui qui se fait sans effort et qui accepte telle quelle la sensibilité humaine. La première façon relève d'un effort psychorigide qui conduit à un braquage dans certaines situations tendues, alors que la seconde s'adapte avec souplesse à toute nouvelle situation.

Tu te tiens aussi une foule de discours tels que : « Mon patron n'est pas correct d'avoir pris cette décision. Cet employé doit m'en vouloir, parce qu'il fait tout pour me causer des problèmes. Ce collègue tire continuellement la couverte de son bord. Toutes ces personnes ne devraient pas se conduire de cette façon. » Et là tu voudrais leur faire savoir ta façon de penser tout de go, mais ça ne se fait pas. Alors, tu ravales, tu refoules, et cela transpire à travers tes attitudes et tes comportements en présence de ces personnes.

L'attention ici, c'est de t'observer objectivement en train de te dire toutes sortes de choses et d'observer aussi les réactions émotives que les discours intérieurs engendrent en toi. Tu dois également être attentif à ces réactions contenues pour déceler comment elles se traduisent en transfert, soit sur tes employés qui n'ont rien à y voir, soit sur tes proches qui ont encore moins à y voir.

17. DESJARDINS, Arnaud, et Véronique LOISELEUR. *L'audace de vivre*, Paris, La Table Ronde, 1989.

Gurdjieff, cité par Ouspensky[18], proposait comme mécanisme d'attention le rappel de soi. Il reprochait à ses élèves : « Vous ne vous sentez pas vous-mêmes : vous n'êtes par conscients de vous-mêmes. En vous, *ça observe*, ou bien *ça parle, ça pense, ça rit*, vous ne vous sentez pas : c'est *moi* qui observe, *j'observe*, *je* remarque, *je* vois [...] Pour arriver à vraiment s'observer, il faut tout d'abord *se rappeler soi-même.* »

Cela signifie qu'habituellement, quand tu observes quelque chose, ton attention est toute dirigée sur ce que tu observes. Le *rappel de soi*, te rappeler toi-même, c'est diriger ton attention à la fois vers ce que tu observes et vers toi-même en train d'observer l'objet. C'est diriger ton attention vers toi-même sans laisser faiblir ton attention vers l'objet observé qui peut être hors de toi ou en toi. C'est la division de l'attention.

Par exemple, tu diriges une réunion de service. Tu te concentres sur les points à l'ordre du jour et sur les réactions de ceux qui sont autour de la table ; en rappel de toi-même, tu t'observeras en train de faire ces choses. C'est un peu un va-et-vient entre l'observation de la situation et l'observation de toi-même dans cette situation. Au début, ce mouvement est saccadé, il demande un effort volontaire parce qu'il est inhabituel. Au fur et à mesure que tu deviens capable de prendre ce recul par rapport à la situation, cela exige moins d'efforts et te procure un calme intérieur dont tu n'aurais jamais rêvé, ainsi qu'une plus grande vivacité intellectuelle.

Krishnamurti[19] va plus loin et propose un état dans lequel l'observateur est l'observé : s'observer sans identification, sans mots, sans qu'il y ait un espace entre l'observateur et l'observé, sans qu'il y ait de conflit entre les deux. Cela exige de s'observer sans jugement selon lequel c'est bon ou mauvais, c'est beau ou laid. Il ne faut pas qualifier, juste voir, et dans cet état où il n'y a pas de mots, pas de jugement de valeur, alors l'observateur est véritablement ce qu'il observe.

---

18. OUSPENSKY. *Fragments d'un enseignement inconnu*, Paris, Stock, 1974.

19. KRISHNAMURTI. *Aux Étudiants*, Paris, Stock Plus, 1987.

On voit donc que l'attention n'est pas suffisante. Elle doit s'accompagner d'**acceptation** qui est absence de jugement. Accepter d'avance la réalité telle qu'elle est élimine le filtre subjectif qui déforme habituellement cette réalité. Il faut aussi se rappeler à soi, prendre du recul afin de se voir agissant, de s'observer dans son action propre.

Dans le rôle de gestionnaire, de nombreuses occasions de pratiquer l'acceptation se présentent : accepter que tel collègue soit dépressif et que cela se traduise par des attitudes négatives envers toi, accepter que tel employé te déteste et soit rébarbatif à tout ce que tu lui demandes, accepter que tu ne puisses tout contrôler autour de toi.

Ce n'est qu'après avoir appris à comprendre le monde de façon objective et à l'accepter tel qu'il est que tu pourras commencer à changer des choses librement. En fait, le changement n'est pas difficile car il se fait tout seul, sans faire intervenir ce qu'on appelle communément la volonté faite d'efforts, de contrôle, de coercition. La vraie volonté, c'est justement celle-là qui vient naturellement et sans effort.

Ce n'est qu'en toute conscience que tu peux être vraiment libre, responsable et heureux... et exercer tes fonctions de gestionnaire de façon sereine et efficace.

DEUX EMBÛCHES :
LE MONDE VIRTUEL ET LE ZAPPAGE

◆ ◆ ◆

> *Notre monde réel se transforme lentement en monde virtuel, un monde de leurres.*

Les technologies facilitent la réalisation du travail d'une partie de plus en plus importante de la population, cette partie qui travaille avec et par l'information. Toutefois, en plus de leur impact collectif, les technologies engendrent aussi une profonde mutation intérieure chez l'homme qui, se cachant derrière l'anonymat que permet la technologie, Internet en particulier, risque de devenir de moins en moins capable de s'accepter tel qu'il est et, par conséquent, d'établir une véritable relation à autrui. Il est en voie de devenir un être asocial qui va à contre-courant de sa nature profonde en évitant le regard d'autrui, celui-là même qui lui donne existence.

L'homme d'aujourd'hui, en tout cas celui qui est insatisfait de sa vie, et ils sont nombreux dans ce cas, entre dans un monde d'illusion plein de leurres dont il est le jouet et dans lequel il se complaît. Il ne se rend pas compte qu'il n'est plus qu'un pantin dans ce monde qu'il ne maîtrise pas, qu'il ne maîtrisera jamais et dont il risque de devenir prisonnier.

Nous devrons tous, maintenant et collectivement, faire face aux conséquences du clivage social qui est en train de s'effectuer entre ceux qui aiment bien vivre avec les robots et ceux qui refusent leur esclavage, entre ceux qui ont accès aux nouvelles technologies et ceux qui en sont exclus.

Aujourd'hui, la personne qui se cantonne dans son univers de microinformatique s'isole elle-même, elle perd ce contact face à face avec l'autre, elle risque la schizoïdie: « [...] les relations fantasmatiques l'emportent sur les relations réelles; l'espace intérieur sur l'espace extérieur; l'imaginaire individuel sur le social ou le collectif[20]. »

◆ ◆ ◆

C'est le repli sur soi et la difficulté de s'adapter au monde extérieur.

Être lucide exige la vigilance, être aux aguets de tout ce qui peut devenir facteur d'agression et peut-être de destruction de la conscience. Or, Internet est un facteur de blocage de la conscience de soi parce qu'il ferme la porte du rappel à soi. En effet, comment peut-on se rappeler à soi-même devant la stimulation intense et incessante de la masse d'information si facilement accessible?

Une grande partie des gens travaillent sur écran, donc sur une représentation abstraite de la réalité. Cette situation de travail dans l'abstraction engendre des confusions chez certaines personnes. Le besoin de vision

20. JACCARD, Roland. *L'exil intérieur – Schizoïdie et civilisation*, Tours, Presses Universitaires de France, 1975.

globale, de recherche d'une représentation du réel, le plus souvent inaccessible, précipite l'usager de réseaux électroniques dans une recherche névrotique de l'information manquante.

La psychologue Sherry Turkle[21] a beaucoup étudié le phénomène Internet et les communautés virtuelles qui s'y créent ainsi que leurs impacts sur la psychologie individuelle. Pour elle, quand nous traversons l'écran dans les communautés virtuelles, nous reconstruisons notre identité de l'autre côté du miroir. L'anonymat de la plupart des communautés virtuelles (on n'est connu que par les noms qu'on donne à nos personnages) fournit tout l'espace aux individus pour exprimer les parties inexplorées d'eux-mêmes.

Comme nouvelle expérience sociale, les communautés virtuelles soulèvent plusieurs questions d'ordre psychologique. Si, dans un jeu de rôle, tu laisses tomber des défenses qui te permettent de fonctionner dans la vie réelle, quel effet cela a-t-il ? Qu'arrive-t-il si tu as du succès dans un domaine, par exemple la séduction, succès que tu n'as pas su atteindre dans la vie réelle ? À la limite, il peut y avoir danger que tu en viennes à confondre les diverses personnalités empruntées et celle qui est réelle. Cela peut aboutir à une sorte de confusion qui te rendra difficiles tes relations dans le monde réel.

Ces nouvelles pratiques permettant d'entrer dans des mondes virtuels soulèvent des questions fondamentales sur nous-mêmes et le monde social dans lequel nous vivons. La technologie nous change comme personnes, elle change nos relations et la perception qu'on a de soi.

Les optimistes de la technologie croient que les ordinateurs vont resserrer le tissu social. Est-il vraiment réaliste de croire que la façon de renforcer le tissu social consiste à rester assis dans son salon ou sa chambre, à écrire sur son ordinateur branché et à remplir sa vie avec des amis virtuels ? Au souper, tous ensemble autour de la table à écouter la télévision pour ne pas perdre de temps, et après, chacun dans sa pièce devant son appareil stéréo ou son jeu électronique, son écran d'ordinateur ou son propre téléviseur, est-ce cela la vie familiale ?

---

21. TURKLE, Sherry. *Life on the Screen – Identity in the Age of the Internet*, New York, Simon & Schuster, 1995.

◆ ◆ ◆

Notre mode de vie est devenu un mode de zappage.

Terme qui tire ses origines de la multiplication des chaînes de télévision, le zappage désigne la pratique du téléspectateur qui, manette de télécommande toujours à portée de la main, change fréquemment de chaîne de télévision. Par extension, il indique tout changement rapide et sans effort physique de l'objet regardé, du sujet d'intérêt ou de l'activité.

Ettighoffer et Blanc[22] nous mettent en garde contre ce phénomène: «[...] avec la multiplication des outils de télécommunications, la grande majorité des gens est confrontée à un phénomène de *zapping*, de commutation consistant à passer d'un sujet à un autre, d'un interlocuteur à un autre, d'un problème à un autre, dans les activités professionnelles et privées.»

Ce phénomène se situe aux antipodes de l'état méditatif dont on vient de traiter, qui est absence de stimulation visuelle, auditive et intellectuelle et qui, seul, permet de retrouver son centre où nichent le calme intérieur et la sérénité.

Les zappeurs sont des boulimiques de la stimulation et de l'information. Ils ne peuvent tolérer de manquer quelque chose. Ils s'éparpillent mentalement parce qu'ils avalent une masse d'informations non intégrées. Cette tendance à l'éparpillement se traduit aussi sur le plan spatial par la multiplication des déplacements pour consommer, souvent sans savoir les savourer, des stimulations aussi nombreuses que variées.

Les gestionnaires ont un temps de travail de plus en plus fragmenté. Ils sont continuellement en train de changer de sujet de conversation, d'interlocuteur, de réflexion ou d'activité. Beaucoup se déclarent submergés, incapables d'engloutir la masse des données qui leur arrivent par les médias, les boîtes vocales, télécopieurs et courriers électroniques. Avoir trop d'information peut être aussi dangereux que d'en avoir trop peu. Cet excès peut paralyser le dirigeant dans ses analyses et augmenter ses difficultés à trouver les bonnes solutions et à prendre les bonnes décisions.

---

22. ETTIGHOFFER, Denis, et Gérard BLANC. *Le syndrome de Chronos – du mal travailler au mal vivre*, Paris, Dunod, 1998.

RESPONSABILITÉ, ANGOISSE ET CULPABILITÉ

LIBERTÉ ET RESPONSABILITÉ

Le libre arbitre n'est-il qu'une illusion? Tu crois probablement, comme la majorité des gens, que tu disposes d'une grande liberté de choix dans la vie. Tu te crois libre et responsable. Cependant, dans la plupart des situations de vie, tu constates que rien n'est décidé librement et qu'une foule de barrières limitent cette liberté.

Henri Laborit[23] nie carrément l'existence du libre choix en affirmant que, même lorsque l'homme réussit à se soustraire aux déterminismes par une prise de conscience et qu'il applique leurs lois pour les utiliser au mieux, il ne réalise pas un libre choix. Écoutons-le: « Car son imagination ne fonctionne que s'il est motivé, donc animé par une pulsion endogène ou un événement extérieur. Son imagination ne peut fonctionner aussi qu'en utilisant un matériel mémorisé qu'il n'a pas choisi librement mais qui lui a été imposé par le milieu. Et finalement, quand une ou plusieurs solutions neuves sont apparemment livrées à son libre choix, c'est encore en répondant à ses pulsions inconscientes et à ses automatismes de pensée non moins inconscients qu'il agira. »

En s'appuyant sur de tels propos, on est tenté de se disculper de nos fautes et de nos erreurs. C'est là une porte de sortie un peu trop facile, non?

Totalement à l'opposé, le philosophe existentialiste Jean-Paul Sartre[24] affirmait: « L'homme n'est d'abord rien. Il ne sera qu'ensuite, et il sera tel qu'il se sera fait. L'homme est seulement, non seulement tel qu'il se conçoit, mais tel qu'il se veut, et comme il se conçoit après l'existence, comme il se veut après cet élan vers l'existence, l'homme n'est rien d'autre que ce qu'il se fait. » L'homme est ainsi libre de ses choix dans la vie.

---

23. LABORIT, Henri. *Éloge de la fuite*, Paris, Robert Laffont, 1976.

24. Voir référence n° 3.

On en déduit naturellement que, si l'homme commence par exister avant de pouvoir être un concept, par exemple comme projet dans l'esprit d'un Dieu créateur, « [...] si vraiment l'existence précède l'essence, l'homme est responsable de ce qu'il est. » Sartre continue en affirmant que tous les hommes subissent l'angoisse de cette responsabilité et que ceux qui disent ne pas être anxieux se masquent leur angoisse.

Dans le but de t'aider à y voir clair, à cristalliser tes propres croyances à ce sujet, je t'invite à effectuer l'exercice 3 à la fin de la présente section.

L'ANGOISSE

Si tu te crois vraiment responsable de tes choix et qu'en même temps tu ne sais pas trop où tu t'en vas, c'est un peu normal que l'angoisse te tenaille.

Ah, l'anxiété[25] ! cette maladie qui peut frapper n'importe qui au moment le plus inattendu. C'est une drôle de sensation, un malaise psychique diffus que tu as de la difficulté à cerner, à définir. Si tu t'arrêtes un instant, tu t'aperçois que tu crains que quelque chose aille mal, qu'un malheur t'arrive, là, très bientôt, sans trop pouvoir l'identifier.

Parfois, ce malaise s'amplifie et c'est l'angoisse. Ton cœur se met à battre plus vite, l'inquiétude grandit, tu te mets à transpirer, tu te sens rigide, tu as une boule dans la gorge, tu es incapable de te détendre ou de te concentrer et tu ne peux chasser cette appréhension qui te tenaille. Plus tu fais d'efforts pour maîtriser ces symptômes (il ne faut surtout pas que ça paraisse !), plus tu bloques ta respiration et plus les symptômes deviennent forts et dérangeants.

Un élan vital te porte dans l'existence, et cet élan se brise parfois sur l'incertitude de ton rôle dans la pièce de la vie. Ce blocage est source d'anxiété.

25. ALBERT, Éric, et Laurent CHNEIWEISS. *L'anxiété*, Paris, Éditions Odile Jacob, 1999.

Les sages orientaux[26, 27] te disent que tu vis beaucoup trop dans le futur et que c'est la distance entre le maintenant et l'après qui est source d'anxiété. Ils te disent aussi que l'anticipation du moment à venir est basée sur des désirs, donc des insatisfactions par rapport à ce que tu as, à ce que tu es, et basée aussi sur ton attachement à ce que tu possèdes déjà, comme si tes avoirs étaient devenus une condition incontournable de ton bonheur.

D'autres, les existentialistes dont j'ai parlé à la section précédente, affirment que tu es libre des choix que tu fais dans la vie, que tu es libre de devenir ce que tu veux être. Ils te disent que cette liberté de choix te rend responsable de ta vie et, en partie, de celle des autres et que c'est cette responsabilité qui te pèse et qui t'angoisse.

Une des caractéristiques de l'angoisse réside dans l'anticipation du pire et, souvent, le pire ce sont les conséquences les plus désastreuses de tes mauvais choix dans la vie, ceux devant lesquels tu te sens coupable.

LA CULPABILITÉ

◆ ◆ ◆

La culpabilité est le chemin royal vers la dépression.

Mea culpa, mea culpa, mea maxima culpa. C'est ta faute ! Tu te sens coupable. On t'a appris que tu commets des fautes et que tu en es responsable parce que tu les fais en toute conscience et en toute liberté.

De ta plus tendre enfance jusqu'à la fin de ton adolescence, tes parents, tes éducateurs scolaires et les curés t'ont imposé un ensemble de barrières morales, d'interdictions et de contraintes que tu as intégrées et que tu as faites tiennes. Tu n'as pu cependant en faire un choix personnel car tu n'avais pas la maturité pour ce faire. Ces barrières morales guident tes actions quotidiennes et, quand tu transgresses l'un ou l'autre de ces interdits, tu te sens mal, tu te sens coupable.

---

26. RAHULA, W. *L'enseignement du Bouddha*, Paris, Éditions du Seuil, 1961.

27. KRISHNAMURTI. *Se libérer du connu*, Paris, Stock, 1969.

Je crois, en tant que psychologue, que la culpabilité est le chemin le plus sûr et le plus rapide pour conduire à la dépression. Le sentiment de culpabilité est d'ailleurs toujours présent comme symptôme de la dépression. Voici un exemple de la façon dont ça se passe.

On commence à se dire – et on le ressasse à satiété – qu'on a pris la mauvaise décision, qu'on a fait le mauvais choix, qu'on a été naïf ou inconscient, que pour masquer sa propre faiblesse on a fait des concessions sur des points majeurs, qu'on a dit des choses blessantes, qu'on a trop dépensé, qu'on a perdu la maîtrise de soi-même dans un moment de grande frustration.

On développe une image de soi de plus en plus négative ; on s'aime de moins en moins. La perception des situations, de soi-même et des autres en est faussée. Si cette escalade de sentiments négatifs se poursuit, c'est le désespoir qui s'installe et qui amène à souhaiter disparaître, à vouloir libérer les autres d'une présence inutile, sinon nuisible, car on ne mérite plus d'être aimé.

Comprendre la nature humaine et ses conditionnements permet de mettre en évidence l'aspect bien relatif du libre choix et de confronter avec la réalité objective les pensées irrationnelles à l'origine de la culpabilité. Ayant pris conscience de tes nombreux conditionnements biologiques et éducationnels, tu seras tenté de te défendre contre ces sentiments dérangeants en te disant que finalement, ce n'est pas ta faute car tu as été programmé pour agir comme tu le fais. Tu seras tenté d'élargir à ton avantage cette parole de clémence : « Que celui d'entre vous qui est sans péché lui jette le premier une pierre ! » **(la première pierre ?)**

Jusqu'à quel point peux-tu te retenir de manger à l'excès quand on te sert ton mets favori, éviter toute pensée impure devant une stimulation visuelle que tu n'as pas recherchée, retenir ta main punitive lorsque ton enfant t'a désobéi, résister à l'envie devant le succès financier de ton voisin ?

Il est vrai que tu es semblable aux autres humains, mais tu as un héritage génétique unique qui fait que tu peux avoir des pulsions sexuelles plus intenses que la moyenne des gens, que tu peux avoir une irrésistible propension à la colère, que tu peux avoir un appétit insatiable, que tu peux souffrir d'une profonde insécurité qui te porte à l'avarice. Sur le plan biologique, ton héritage génétique fera, par exemple, que ta glande thyroïde sécrétera trop ou pas assez de telle hormone, ce qui te rendra plus ou moins anxieux ou colérique. Il est très difficile d'aller contre son bagage héréditaire.

UNE RECETTE POUR SOULAGER L'ANGOISSE

Tu peux toujours tenter de te déculpabiliser en alléguant que c'est à cause de tes conditionnements que tu as mal agi. Il demeure cependant que, dès que tu en prends conscience, tu as déjà une emprise sur eux et tu peux de moins en moins leur imputer la faute. L'essentiel, dès cet instant, c'est d'avoir la ferme résolution de s'orienter dans la bonne direction.

Il est important de maintenir son regard tourné vers l'avenir. Bien qu'on ne puisse nier son passé, on ne peut annuler ce qui a été fait et recommencer à neuf. On ne peut que tenter d'amoindrir les dégâts et de réparer les pots cassés. Et, une fois qu'on a appris notre leçon, il est inutile et même destructeur de ressasser nos erreurs et de continuer à se frapper la poitrine.

Il faut d'abord que tu t'orientes, il faut que tu te situes dans cet univers qui a un sens, que tu précises le sens de ta vie.

Mais comment? En revenant à la base: tu es dans le monde et une seule chose est claire et impérative, tu es ici pour vivre. Vivre, c'est agir, c'est réaliser, c'est se réaliser dans l'action, « ici et maintenant ». Vivre renferme en soi son propre but, son propre sens.

Si tu t'arrêtes à y penser, tu constateras qu'en effet c'est lorsque ton action absorbe toute ton attention que tu es le plus calme, le plus heureux. Ce n'est qu'en agissant que tu peux comprendre la réalité de la vie. Ta raison d'être, c'est d'être simplement.

Pour ce faire, tu devras te définir un ensemble de valeurs qui serviront d'appui à tous tes actes, qui leur donneront une direction, un but. Et ces valeurs, où les prendras-tu? En toi-même, en te faisant confiance, en écartant les valeurs que te propose la société et en choisissant, à partir de ton centre, parmi les valeurs qui correspondent à ce que tu ressens au plus profond de toi-même. Cela exigera des prises de conscience parfois douloureuses, toujours nécessaires.

Ce travail sur toi-même te revient, mais tu ne devrais pas être laissé seul à te débattre pour t'en sortir. Dans le contexte du travail, ton organisation a aussi une part de responsabilité.

Responsabilité de l'organisation

On l'a mentionné en introduction à ce livre, les événements du 11 septembre 2001 ont amené de nombreuses personnes, des gestionnaires en particulier, à se questionner sur le sens de leur travail. Cela est de plus en plus fréquent, même en l'absence de phénomènes d'une telle envergure.

On doit comprendre ici la nécessité pour les organisations de tenir compte des besoins les plus profonds de chacun. Ainsi, elles devront mettre en place des mesures de prévention et des mécanismes d'ajustement professionnel qui permettront aux gestionnaires à risques de prendre conscience de leur détresse et d'apporter les correctifs adaptés à leurs besoins propres. Chacun pourra alors construire sa vie professionnelle sur des assises faites de ses véritables besoins personnels, par opposition à un ensemble de besoins fixés culturellement par la société. C'est là une stratégie gagnant-gagnant.

Toi, comme gestionnaire et donc comme représentant de l'organisation, qu'en penses-tu ? L'aisance matérielle et le statut social que tu as aujourd'hui en tant que cadre d'une organisation te classent parmi l'élite de la société. Or, si tu te débats toi-même dans les méandres du conditionnement, de la responsabilité, de l'angoisse et de la culpabilité, comment n'en serait-il pas de même, et plus encore, pour les employés que tu diriges ?

En tant que représentant de l'organisation, tu dois faire ta part en intervenant auprès de tes supérieurs hiérarchiques pour favoriser la mise en place de mesures de prévention visant à aider les employés à vivre mieux, à vivre plus heureux. Ton gain comme gestionnaire : une productivité accrue de leur part.

EXERCICE 3 TES CROYANCES SUR LE LIBRE ARBITRE

Quelles ont été les influences qui ont guidé les choix suivants dans ta vie ?

Ton premier amour ?

Avoir des enfants ? Combien ?

Ton domaine d'études ?

Ta profession ?

Le type de travail (manuel, intellectuel, dirigeant) ?

Ta résidence : genre, lieu… ?

Tes amis ?

Tes activités sociales ?

Il serait souhaitable que cet exercice devienne en quelque sorte un réflexe, que dans toute décision que tu prends dans la vie, personnelle comme professionnelle, tu t'arrêtes un instant et que tu te rappelles à toi-même, que tu t'observes tel que tu es, que tu découvres tes motivations profondes sans les juger, sans les évaluer, non pas dans un effort pour changer quoi que ce soit dans tes choix, mais pour t'assurer que ceux-ci sont faits en toute lucidité.

L'ESTIME DE SOI

«Haro sur le baudet!» disait monsieur de La Fontaine[28], illustre fabuliste, dans *Les animaux malades de la peste*. C'est le lot de tous ceux qui se croient des ânes qu'on les accuse, qu'on les rabaisse, qu'on les condamne.

Sans sombrer dans un narcissisme pathologique, une bonne estime de soi peut aussi jeter un peu de baume sur la douloureuse plaie de l'angoisse qui se reflète si souvent dans la piètre opinion qu'on a de soi-même.

Tu te lèves le matin, échevelé et l'air hagard; tôt ou tard, ablutions matinales obligeant, tu affrontes le miroir. Est-ce que tu dis alors à ton reflet: «Ma foi, tu as une bonne bouille, je suis fier de toi, je t'aime bien»? Ou bien est-ce que tu te dis: «Ouache!» en te promettant de ne pas te revoir avant le coucher? Narcisse ou la Bête?

Si c'est la bête que tu vois dans le miroir, tu as honte d'être ce que tu es. Tu marches la tête entre les deux jambes, en longeant les murs pour éviter qu'on te voie et qu'on se moque de toi. Tu réagis à ce que tu crois que les gens pensent de toi et tu es convaincu qu'ils partagent tes impressions et opinions. Pour masquer cela, pour plaire aux autres et surtout pour éviter toute confrontation qui te détruirait, tu te montres gentil, aimable, souriant.

28. DORÉ, Gustave. *Fables de La Fontaine*, Slovénie, Ars Mundi, 1992.

Je me dis, ou plutôt je ressens, en te voyant: « Voilà une personne qui semble bien petite, qui semble avoir bien peu de valeur. Elle ne peut probablement que peu m'apporter comme amie ou comme collègue dans mon équipe de travail. » Tu as beau verbaliser le contraire, tes attitudes parlent si fort que je n'entends pas ce que tu dis ! Et je te laisse passer ton chemin pour m'approcher plutôt de la personne qui porte la tête haute.

Ton estime de toi sera la mesure même de l'estime des autres. Si tu ne veux pas de toi-même, qui donc voudra de toi ? Si tu as honte de toi-même, qui donc pourra se montrer fier de toi ? Si tu ne te respectes pas et que tu ne prends pas la place qui te revient, qui donc te la donnera ? Conjoint ? Collègue ? Patron ? Serveur de restaurant ? Ou ceux qui font la même file d'attente ? Si tu entretiens le discours intérieur – on en a tous à propos de soi-même – qui dit que tu es un minable, un pas bon, un moins que rien, un incompétent, né pour un petit pain, alors c'est vraiment ainsi que tu vas être. On finit par devenir ce qu'on pense de soi.

Cette attitude provoque chez toi une soif inextinguible d'être reconnu, apprécié, aimé. Et alors s'installe une dépendance de la reconnaissance ou de l'estime de l'autre, et tu t'y accroches comme à une planche de salut. Dans une relation à deux avec ton conjoint, avec ton enfant, avec ton patron, avec ton employé, cette dépendance devient vite étouffante pour toi et l'autre.

Si tes parents étaient des gens qui avaient honte d'eux-mêmes, s'ils t'ont répété que tu étais trop grand ou trop petit ou trop gros ou pas très brillant, s'ils t'ont interdit de pavoiser quand tu étais le meilleur parce que c'est vaniteux, s'ils ont exigé de toi d'être sage, propre, tranquille devant la parenté, les voisins, les amis, s'ils n'en avaient que pour les qualités de ton frère, dans tous ces cas ils t'ont mis une camisole de force. Tu te sens coincé. Tu as appris que dans la vie les autres seraient toujours plus beaux, plus intelligents, plus appréciés que toi.

Alors, pour compenser, tu fais l'impossible pour être le meilleur, le plus performant, pour atteindre la plus haute marche du podium, le plus haut niveau dans la hiérarchie. Paradoxalement, tu te sens mal à l'aise d'être sous les réflecteurs. Dès que la lumière projetée sur toi devient trop vive, tu la fuis, tu te retires à l'ombre, tu laisses un autre prendre ta place. Ne crains-tu pas ton incapacité à maintenir ce niveau et à justifier cet éclairage ?

S'aimer, s'apprécier positivement, se faire plaisir, se cajoler, se dire de belles choses, cela s'apprend. Retourne devant ton miroir et affronte la Bête. Ouvre tes yeux à ses qualités si longtemps masquées derrière les défauts démesurément amplifiés. Comprends qu'elle est digne d'être aimée. Transporte cette attitude de ta tête à ton cœur, embrasse la Bête et, scénario connu, elle deviendra beau prince.

Reste toujours en contact avec cette vision nouvelle. Sois toi-même en te disant que tu ne peux plaire à tous parce que chacun, se projetant dans l'autre, en a une perception plus ou moins distordue.

◆ ◆ ◆

Qu'un individu en particulier t'aime ou ne t'aime pas ne relève en dernier recours que de lui.

Dans le contexte professionnel, la pression sur le gestionnaire est de plus en plus forte et, forcément, il doit rediriger cette pression vers son équipe. Cette dernière risque alors de concevoir des sentiments négatifs envers lui et de les exprimer plus ou moins explicitement. Selon son degré de sensibilité à l'opinion des autres, cela va éroder graduellement, mais inexorablement, son estime de lui-même et sa confiance en lui.

Le contexte organisationnel actuel exige que tu te trouves une niche quelque part et, pour ce faire, tu es un produit qu'il t'appartient de vendre. Tu dois présenter ce produit de façon réaliste tout en lui procurant le meilleur emballage possible. Cet emballage, c'est le respect que tu peux t'accorder et la confiance que tu peux avoir d'être une personne de valeur.

L'AMBITION

L'ambition – dans le monde du travail, cela signifie vouloir monter toujours plus haut dans la hiérarchie – peut te perdre parce qu'elle risque de t'entraîner vers ce que j'appelle l'enfer de la souffrance issue du manque. Il peut te sembler excessif de parler de souffrance ici, mais rappelle-toi ce qui t'a rendu le plus malheureux au fil des ans depuis ta jeunesse et constate que, plus souvent qu'autrement, ta peine en était une de frustration, celle de désirer très fort des choses que les gens ou la vie refusaient de t'accorder.

Les crises de colère et de pleurs de la petite enfance sont souvent attribuables à ce sentiment de manque et de frustration. Je le répète : on reste un peu enfant toute sa vie durant.

Je vais donc dans ce qui suit parler d'abord du phénomène du désir en général tout en l'associant au thème de l'ambition professionnelle, et ensuite du déplaisir qu'il y a à se trouver dans une position que nous n'avons pas la compétence d'assumer avec succès.

LE DÉSIR INASSOUVI

◆ ◆ ◆

> *Quand tu te sens mal dans ta peau, que tu te sens angoissé, malheureux, demande-toi : « Qu'est-ce que je désire en ce moment ? » et attends la réponse... elle sera éclairante.*

« Voyons donc ! me diras-tu, sans désir on stagne, on végète, la vie ne présente plus d'intérêt ! » Tu crois que, quand le désir disparaît, le plaisir, c'est-à-dire le piquant de la vie, disparaît aussi. En même temps, c'est comme si la possibilité de bonheur disparaissait, car on associe souvent les deux : sans désir, pas d'excitation, sans excitation pas de plaisir, sans plaisir, pas de bonheur.

Voici un exemple. Tu savoures un succulent repas dans un restaurant de grande classe. Tu prends grand plaisir à le déguster, ton palais est excité et tu souhaites renouveler cette sensation de plaisir le plus tôt possible.

Tu rétorqueras que c'est naturel et bien humain de rechercher le plaisir de bien manger et qu'il n'y a absolument rien de répréhensible là-dedans. Il n'y a rien de répréhensible, c'est vrai, mais ce qu'il faut voir, c'est la conséquence de l'accumulation de tels désirs de reproduire des plaisirs qui relèvent plus de l'hédonisme que de la survie.

Faisons la distinction entre la notion de désir et la notion de besoin. Le besoin répond d'abord à la satisfaction de l'instinct de survie, ce qui inclut les besoins fondamentaux de se nourrir, de se protéger du froid, de procréer. À la satisfaction de ces besoins est lié un plaisir bien légitime qui amène l'homme – et l'animal tout autant – à entreprendre l'acte de manger, de se vêtir, de copuler.

◆ ◆ ◆

Il est important de savoir distinguer la recherche consciente de la volupté (désir) de l'instinct aveugle des organes qui assure la survie de l'individu et de l'espèce (besoin).

L'impulsion d'effectuer un acte plaisant ne doit pas être vue comme nuisible car, lorsque le point de satiété est atteint, l'impulsion s'éteint. Le désir qui est issu d'un acte de réflexion consciente est nuisible car il maintient l'impulsion au-delà du point de satiété et conduit irrémédiablement à la souffrance.

Ah bon! me diras-tu, mais en quoi tout ceci touche-t-il l'ambition de monter dans la hiérarchie?

Voici comment. Tu reçois une première promotion. On te félicite, on loue ta compétence. Tu es devenu un cadre, tu donnes des ordres, tu te dis que tu vas pouvoir mener la barque à ta façon, la bonne bien sûr. Tu es enfin admis dans la sacro-sainte salle de réunion des cadres et tu joues maintenant dans la cour des grands. Tu es devenu quelqu'un d'important et, le matin, tu te regardes dans le miroir et tu bombes le torse d'orgueil.

Mais rapidement, très rapidement, tu aspires à une autre promotion, à un plus haut rang dans la hiérarchie et à une reconnaissance sociale conférée par l'autorité, par la plus grande résidence dans un quartier cossu, par le meilleur revenu, par la voiture plus luxueuse. Tu observes tes patrons et tu te dis que tu ferais leur travail aussi bien qu'eux et, avoue-le, probablement mieux qu'eux.

Voilà justement où le bât blesse : tu connais un plaisir, tu désires le renouveler et tu crains de ne pas y arriver ; tu attends ce moment béni, tu développes de l'anxiété d'expectation. Ce que tu obtiens durant ce temps d'attente, c'est la douleur du manque au lieu du bonheur escompté. Quand tes désirs portent sur une multitude de sources de plaisir, jouissance sensuelle, rang social, pouvoir, biens matériels, argent, amour, les périodes d'attente de renouvellement du plaisir se multiplient et le sentiment de manque grandit.

La sagesse orientale explique le phénomène de la façon suivante. La pensée, au moyen du désir, dit : Demain j'aurai une promotion, demain j'aurai du succès, demain on admirera mon talent, demain je serai reconnu comme étant le meilleur. C'est ainsi que la pensée crée une distance entre elle et l'action, et cette distance, le temps, engendre la souffrance psychologique car, insidieusement, s'installe toujours une peur que le désir ne se réalise pas. Et lorsque la pensée veut revoir ce parent disparu, reste attachée à cette belle résidence qu'on a dû quitter, espère s'échapper de la vieillesse, elle engendre encore un intervalle, vers le passé cette fois, qui provoque la douleur de l'insatisfaction, du sentiment de manque.

Absence de désirs peut, à la limite, signifier absence de buts précis à atteindre dans la vie. J'entends déjà les protestations. Laisse-moi préciser : absence de buts ne veut pas dire absence d'action, car la vie est mouvement et tout ce qu'il faut faire, c'est de choisir une direction et d'entreprendre de s'y engager. **L'absence de désir, ce n'est finalement que le non-attachement aux récompenses de l'action, ce qui n'entrave en rien l'action elle-même**. Bien au contraire, celle-ci devient beaucoup plus libre, dégagée, efficace.

L'INCOMPÉTENCE

Au désir intense inassouvi s'ajoute une autre manière qu'a l'ambition de perdre son maître, plus connue mais jamais avouée par la personne concernée. Elle consiste à la porter à son niveau d'incompétence dans la hiérarchie et à l'y maintenir... malheureuse.

Je veux rappeler ici le principe de Peter[29]. Je n'en retiendrai que le premier volet qui dit que **dans une organisation, tout membre tend à accéder à un poste où son incompétence le maintiendra pour le reste de sa carrière**. En conséquence, toute hiérarchie finit pas se composer en bonne partie d'incompétents, et le travail véritablement productif est effectué par des personnes qui se trouvent à leur niveau de compétence, soit parce qu'elles s'y maintiennent volontairement, soit qu'elles n'ont pas encore atteint leur niveau d'incompétence.

Les exercices de prise de conscience qui précèdent vont t'amener à te demander à quel point tu es heureux dans le poste que tu occupes, et cette réflexion devrait se prolonger par la question de savoir si tu es vraiment compétent pour occuper ce poste.

C'est là un exercice très difficile parce que chacun se croit, bien sûr, « aussi compétent que n'importe qui d'autre pour faire le travail » et personne ne songe à se poser la question relativement à sa possible incompétence.

LA PERFECTION N'EXISTE PAS

Deux sources de motivation alimentent le processus d'ascension dans la hiérarchie. Ou bien tu cherches à obtenir davantage de pouvoir parce que tu es convaincu de bien connaître ton secteur d'activité et ses tenants et aboutissants, ou bien tu veux simplement avoir plus : un meilleur salaire, un plus grand pouvoir, un statut plus enviable... sans nécessairement qu'il y ait association à tes compétences particulières.

29. PETER, Lawrence J. *Le principe de Peter, pourquoi tout va toujours mal*, Paris, Stock, 1970.

Dans le premier cas, tu seras vite obnubilé par la qualité des résultats qu'atteindra ton équipe au regard des demandes de la direction de ton organisation. Plus tu seras compétent dans ton domaine, plus il y a risque que tu t'engages en profondeur dans les dossiers que tu confies à tes employés et plus il y a risque d'être incompétent dans les tâches de gestion qui devraient mobiliser toute ton attention de gestion.

Dans le deuxième cas, tu allégueras que le gestionnaire n'a pas à connaître le secteur spécifique d'activité, il doit surtout connaître la gestion. Tu te diras qu'il est facile d'acquérir les connaissances suffisantes pour parler intelligemment de tes dossiers. Cependant, dans les faits, tu réaliseras qu'il existe dans tous les domaines des éléments plus fins qui relèvent de l'histoire de l'organisation, éléments que tu n'arriveras jamais à maîtriser et qui provoqueront deux phénomènes: d'une part, des conflits seront engendrés, t'opposant à tes spécialistes expérimentés et, d'autre part, tu développeras la tendance à l'immobilisme pour éviter les erreurs et la mauvaise note à ton dossier d'étoile montante, attendant la prochaine promotion que tu chercheras à obtenir le plus rapidement possible avant qu'on ne découvre ton incompétence.

Sur un autre plan, si tu es quelqu'un qui carbure au besoin de faire plaisir à tout le monde, rappelle-toi que ta position de gestionnaire est peu congruente à la satisfaction de tels besoins et que ton obstination à y demeurer risque de te procurer de grandes souffrances psychologiques.

Rappelle-toi aussi que, quoi que tu fasses, il y aura toujours la moitié de tes employés qui t'apprécieront comme individu et l'autre moitié peu ou pas du tout, et cela, que tu sois le plus autocratique ou le plus démocratique, le plus rationnel ou le plus humain, le plus sévère ou le plus laxiste.

Quoi qu'il en soit et quels que soient tes choix, tu ne seras jamais un gestionnaire parfait et, quel que soit ton modèle promotionnel, tu devras apprendre à être lucide à propos de tes faiblesses et à les accepter comme faisant partie du jeu.

Pour que le gestionnaire parfait existe il faudrait que ses employés soient parfaits, ce qui ne sera jamais le cas. Il faudrait qu'ils n'aient jamais de problèmes et qu'ils soient en permanence dans un état de profonde sérénité, ce qui ne sera jamais le cas non plus, bien au contraire.

L'ADAPTATION

Ne souhaites-tu pas parfois avoir cette capacité d'adaptation du caméléon et te fondre sans effort dans ton environnement ?

Malheureusement – ou heureusement – l'humain utilise son cerveau pour raffiner l'adaptation à son environnement alors que le caméléon est programmé pour ce faire. Le lièvre change de couleur aussi mais, pauvre lui, seulement deux fois par année. Si la neige tombe avant le blanchiment de sa fourrure, mieux vaut pour lui que Nemrod ne passe pas par là. Mais, trêve de zoologie, revenons à notre animal de prédilection, l'être humain.

J'aimerais rappeler ici les propos de Henri Bergson[30] : « De chaque état, pris à part, j'aime croire qu'il reste ce qu'il est pendant tout le temps qu'il se produit. Pourtant un léger effort d'attention me révélerait qu'il n'y a pas d'affection, pas de représentation, pas de volition qui ne se modifie à tout moment ; si un état d'âme cessait de varier, sa durée cesserait de couler... la vérité est qu'on change sans cesse et que l'état lui-même est déjà du changement [...] ainsi, chacun de nos états, en même temps qu'il sort de nous, modifie notre personne. [...] nous trouvons que pour un être conscient, exister consiste à changer, changer à se mûrir, se mûrir à se créer indéfiniment soi-même. »

Ne trouves-tu pas que la vie est un mouvement perpétuel qui te demande de t'adapter, à tout moment, aux changements qui se produisent dans ta personne et dans ton environnement ? Cette évolution d'instant en instant est habituellement à peine perceptible. Mais, il arrive parfois que le changement soit brutal, déséquilibrant.

Heureusement, l'être humain, avec son cerveau d'une complexité incroyable, dispose d'une formidable capacité d'adaptation qui exige toutefois, contrairement au caméléon, un effort conscient. L'homme capable d'imagination a provoqué une folle accélération de l'évolution sociale et technologique. Il doit apprendre à s'ajuster de plus en plus rapidement. Celui qui n'y parvient pas, **celui qui se dit qu'il n'a aucune maîtrise de la situation, celui qui reste paralysé dans son action, celui-là devient angoissé, il devient malade**.

30. BERGSON, Henri. *L'évolution créatrice*, Paris, Presses Universitaires de France, 1941.

Tout changement est perçu par l'organisme comme une agression. Dans cette situation, tu peux contre-attaquer, fuir ou tenter de t'adapter au mieux.

On t'impose une nouvelle structure, un nouveau patron, une nouvelle affectation. Tu ne l'acceptes pas ! Tu te dis : « Qu'a-t-on à chambarder ainsi une organisation qui fonctionnait, ma foi, pas si mal ? C'est la pire décision qu'on pouvait prendre. Ça ne marchera pas et ça va aller plus mal qu'avant ! »

On ne t'a pas accordé la promotion sans concours, ou la prime de complexité, ou la prime d'expert, ou le boni au rendement dont on a gratifié ton collègue. « Injustice ! », te dis-tu, car tu le méritais tout autant, sinon plus que l'autre.

Ton conjoint a une maladie grave, ton enfant a eu un accident, on vient de diagnostiquer un cancer à ton père, ce sont là encore des agressions. Tu as de la peine et de la colère, tu te révoltes car ça n'aurait pas dû arriver... Pourquoi à toi ?

Dans les deux premiers cas, contre-attaquer – prendre ton patron au collet et l'écraser contre le mur – ou fuir – démissionner en claquant la porte – sont des solutions peu envisageables parce que trop coûteuses. Dans le troisième cas, tu es coincé.

L'adaptation consiste, dans le premier cas, à prendre conscience de ta frustration du fait qu'on dérange ton confort douillet, et à admettre en toute humilité que ta vision est forcément limitée par la position que tu occupes dans l'organisation. Celle-ci a ses raisons que tu ne comprends pas toujours, ne serait-ce que parce qu'il y a une composante politique, ou sociale, ou économique, ou culturelle que tu ignores mais qui en fait partie intégrante. La raison du plus fort n'est-elle pas toujours celle qui prévaut ? Rappelle-toi à quel point Don Quichotte est sorti amoché de ses combats contre les moulins à vent dans sa *quête de l'inaccessible étoile*[31].

31. BREL, Jacques. *La Quête – l'inaccessible étoile*, traduit de la comédie musicale américaine « Man of La Mancha », texte original de Joe Darion (The Quest – The Impossible Dream),1968.

Dans le second cas, peut-être as-tu raison. Et après ? Notre société est truffée d'injustices de cette sorte, c'est-à-dire que des décisions qui devraient être prises sur des bases objectives le sont souvent à partir de la subjectivité des décideurs. C'est décevant, mais c'est une réalité bien humaine. L'adaptation, ici, consiste à accepter la nature humaine avec toutes ses imperfections. Peux-tu prendre du recul et porter ton attention sur ce que tu as plutôt que sur ce que tu n'as pas ? C'est drôle comme cette frustration te paraîtrait moins grande, inexistante probablement, si ton collègue n'avait pas obtenu ce que tu lui envies maintenant.

Dans le troisième cas, c'est normal de réagir ainsi car il y a là une perte et, tant et aussi longtemps qu'elle est refusée, il y a révolte. Le chemin final est celui de l'acceptation de ce qui est et que tu ne peux changer. Il est cependant normal, et la plupart du temps nécessaire, de passer par le déni, la colère et la peine avant de pouvoir accepter cette souffrance comme faisant partie de la vie.

Une technique d'adaptation efficace consiste à identifier les idées irrationnelles qu'on entretient, du genre « Je dois faire ceci », ou « On me doit cela », ou « Cette personne devrait m'aimer », ou « Dieu est injuste envers moi » ou « Cela n'aurait pas dû arriver », **à les affronter dans leur irrationalité et à les remplacer par des idées plus conformes à la réalité.** Tu peux aussi ouvrir grandes les portes de ton imaginaire pour découvrir de nouveaux intérêts, de nouvelles satisfactions qui ne peuvent manquer d'exister malgré les contraintes qui te sont imposées.

◆ ◆ ◆

S'adapter, ce n'est pas renier sa nature profonde, c'est survivre.

Revenons aux façons de réagir devant une nouvelle situation : faire face, composer avec le problème ou fuir.

Faire face, c'est identifier clairement le problème et agir immédiatement pour éliminer la source de stress négatif. Tu peux alors rechercher de l'aide et obtenir le soutien et l'engagement actif d'autres personnes significatives de ton environnement. C'est la façon « active » de réagir.

La fuite, à moins de tout « foutre en l'air », est en fait une fuite cognitive qui consiste en une tentative d'ignorer les éléments stressants ou à les éviter, ou encore à se résigner à leur présence en attendant une solution qui sera apportée par le temps. C'est la façon « passive » de s'adapter.

Composer avec le problème, c'est ajuster sa façon de voir les choses de manière à en tirer la substance positive (il y en a toujours!) et adopter les comportements et attitudes qui vont permettre de minimiser l'aspect négatif de la situation.

Quel est ton style d'adaptation? Voici un exemple pour illustrer les trois styles.

Tu es l'un des chefs de service de ta direction générale qui comprend le directeur général, trois directeurs et six chefs de service. Une rencontre du comité directeur se tient tous les premiers lundis du mois.

Observe l'affrontement, la guerre parfois, entre les chefs de service et les directeurs pour impressionner la galerie – ceux de rang supérieur – et gagner des points en vue d'obtenir la meilleure appréciation parmi les pairs et pour se positionner dans la course à la prochaine promotion.

Faire face consistera ici à prendre la parole le plus souvent possible et d'une façon qui démontre une connaissance de tous les dossiers, ceux des autres comme les tiens. L'important ici n'est pas d'être génial concernant les contenus, mais de paraître brillant sur le plan du discours, sur la multiplicité des liens entre les dossiers, qu'ils soient réels ou non. Surtout, tes propos et tes attitudes doivent laisser percevoir ton apparente maîtrise. Cette stratégie s'appuie sur la conviction que c'est l'apparence qui compte, et tu as raison dans bien des cas: la meilleure forme a souvent préséance sur le meilleur fond.

Fuir, ce sera, après quelques tentatives plus ou moins fructueuses d'intervention sur le plan des contenus, te reculer sur ta chaise et fulminer intérieurement. Ta crainte du ridicule et de la confrontation, ta tendance à trop être à l'écoute des autres, tout cela te fait perdre de la visibilité et tu en es bien conscient. Cela te frustre et te met en colère contre ceux qui ont du bagout à revendre et contre les autres qui se laissent berner par le beau parleur.

S'adapter consistera ici à observer les échanges et à repérer les moments stratégiques où ton intervention aura la plus grande portée. Elle sera courte, claire, adaptée au sujet et démontrera une vision qui va au-delà des considérations apportées par tes collègues.

Évite de courir après la « carotte » de la bonne impression sur les autres ; elle est empoisonnée. Reste toi-même : ton stress sera moins grand et ta présence d'esprit à son maximum d'efficacité. Joue ta partie en utilisant au mieux tes propres atouts et laisse les autres jouer leur partie à leur façon.

La projection

Jean de La Fontaine[32], encore lui, termine la fable *La Besace* de la façon suivante :

> *Lynx envers nos pareils, et taupes envers nous,*
> *Nous nous pardonnons tout, et rien aux autres hommes :*
> *On se voit d'un autre œil qu'on ne voit son prochain.*
> *Le fabricateur souverain*
> *Nous créa besaciers tous de même manière,*
> *Tant ceux du temps passé que du temps d'aujourd'hui :*
> *Il fit pour nos défauts la poche de derrière,*
> *Et celle de devant pour les défauts d'autrui.*

Cette phrase biblique : « Qu'as-tu à regarder la paille qui est dans l'œil de ton frère ? Et la poutre qui est dans ton œil, tu ne la remarques pas ? » met semblablement en évidence le phénomène de projection qui engendre tant d'incompréhension et de conflits et auquel personne ne peut échapper totalement.

En tant que gestionnaire, il est important que tu aies la lucidité de t'observer objectivement et d'observer l'autre sans le juger, et surtout de voir venir en toi ce phénomène de projection qui vient entacher la communication et même la relation tout entière avec tes employés, tes collègues et tes patrons.

La projection consiste à attribuer à l'autre des sentiments, des opinions et des attitudes qui t'appartiennent mais qui sont inacceptables à ta conscience au regard des valeurs, principes et obligations qu'on t'a inculqués. Par ce mécanisme, tu les justifies chez toi en les attribuant d'abord à autrui.

Tu n'aimes pas telle personne, mais tu n'as aucune raison de la haïr. Au lieu de dire « Je la hais », tu commenceras par dire « Elle me hait ». Cette hostilité qui provient des profondeurs de ton être est moralement inacceptable en soi, mais tu réussiras à la justifier si elle ne constitue qu'une réaction – bien normale, n'est-ce pas ? – à l'hostilité de l'autre.

---

32. Voir référence n° 28.

La projection est un mécanisme de défense (Freud[33, 34] avait encore une fois raison) par lequel tu cherches à résoudre le conflit qui émerge de l'affrontement entre des pulsions inconscientes, par exemple d'agressivité, et les interdits moraux qui veulent les réprimer. Tant et aussi longtemps que ce processus demeure inconscient, il t'est impossible de faire la distinction entre ta propre agressivité et celle de l'autre. Tu vois l'agressivité de l'autre – qui n'existe peut-être que dans ton imagination – sans être capable de voir celle qui t'habite.

Un conseil de vigilance ici : si un de tes employés vient se plaindre auprès de toi de comportements dérangeants de la part d'un de ses collègues, tu dois te rappeler qu'il est possible que la projection soit aussi en jeu dans cette relation. Tu dois alors être prudent dans l'interprétation des propos du plaignant qui pourrait être, en fait, celui-là même qui a les comportements qui font l'objet de sa plainte.

On a beaucoup de difficulté à gérer ces conflits intérieurs. Comme il est beaucoup plus facile de composer avec une charge d'anxiété qui vient d'une source externe, alors l'inconscient, ce petit malin qui opère toutes sortes de mystifications, fait croire au conscient que la menace vient de l'extérieur ; il est donc plus facile d'y faire face.

La projection a donc un double effet : soulager l'anxiété et permettre l'expression des sentiments réels. Ainsi, ce jeune homme qui exprime sa détresse et son incompréhension devant l'agressivité de ses collègues chaque fois qu'il propose quelque chose ou qu'il exprime une opinion n'est pas conscient du ton sec et sans réplique qu'il utilise et qui reflète sa propre agressivité. En cherchant dans son histoire personnelle, il découvre qu'il était constamment rabroué par ses parents quand il était jeune : il ne disait que des sottises et ne faisait rien de bon. Il s'attend maintenant à ce que tout le monde le traite ainsi et, en guise de défense, il adopte inconsciemment ce ton qui provoque l'hostilité de son entourage et justifie sa propre agressivité en retour.

33. FREUD, Sigmund. *Psychopathologie de la vie quotidienne*, Paris, Éditions Payot, 1922.

34. COLLETTE, Albert. *Introduction à la psychologie dynamique*, Bruxelles, Université Libre de Bruxelles, 1963.

Quand tu trouves qu'on est agressif à ton égard, qu'on est indifférent à toi, qu'on semble ne pas t'aimer, te rejeter même, arrête-toi à l'instant même où cela se produit. Mets un frein à tes pensées pour un moment. Sois attentif à ce qui se passe en toi-même, non pas en réaction à ce que tu perçois de l'autre, mais à ce qui pourrait ressembler à ta propre agressivité, à ton propre rejet de l'autre ou à ton indifférence à ce qu'il est. Reviens sur ce que tu as exprimé, par tes mots mais aussi et surtout par tes regards, tons de voix, mimiques, et tu constateras, ô surprise, que tu te regardes dans un miroir.

Il est vrai qu'il s'agit d'un exercice difficile. La meilleure façon de le savoir, de confirmer cela, c'est d'aller vérifier chez l'autre ce qu'il pense de toi, ce qu'il ressent envers toi. Ça semble dangereux, mais ça vaut le coup.

EXERCICE 4 RÉFLEXION SUR LA LUCIDITÉ

Est-ce que tu te vois aller dans la vie?

Quelles sont les grandes influences agissant sur ta vie?

Es-tu constamment en train de bavarder intérieurement?

Es-tu vraiment présent à ce qui se passe autour de toi et en toi?

Es-tu capable d'accepter la réalité qui échappe à ton contrôle?

Te crois-tu libre et responsable dans la vie?

À quel degré crois-tu que tes décisions dans la vie sont prises librement?

Selon toi, d'où viennent tes conditionnements?

Lorsque tu fais quelque chose de répréhensible, t'en crois-tu totalement responsable?

Ressens-tu souvent un sentiment de culpabilité ?

La vie d'aujourd'hui t'angoisse-t-elle ?

Te sens-tu souvent anxieux ? (pour les symptômes, voir la section portant sur l'anxiété et la dépression au chapitre 5)

As-tu souvent tendance à te projeter dans le futur ou bien es-tu branché sur ce qui se passe maintenant ?

As-tu le sentiment d'être pris au piège dans un engrenage dont tu ne peux plus t'extraire, de te sentir totalement coincé ?

Au sujet de tes aspirations dans la vie...

Jusqu'au début de l'âge adulte, quelles étaient tes quatre plus grandes aspirations ?

Ces aspirations étaient-elles tributaires principalement de tes propres convictions quant à ce qui est important dans la vie, des désirs de tes parents, de la pression de tes amis ?

Au regard de ces aspirations, quelles ont été tes plus grandes déceptions?

Et tes plus grands regrets?

L'autre est-il un miroir que tu prends pour la réalité?

Identifie un «défaut» qui te dérange beaucoup chez une personne de ton entourage de travail.

Arrête-toi un instant et demande-toi sérieusement si tu ne l'as pas un peu toi-même, ce défaut. Évite surtout de te contenter de la réponse automatique: «Mais non, je ne suis pas comme ça, voyons!»

Il te faudra répéter cet exercice quelques fois. Tu finiras bien par trouver un petit travers chez toi que tu n'as jamais vu mais que les autres ont perçu depuis longtemps; ils n'en ont jamais soufflé mot, mais ils y réagissent forcément quand ils sont en interaction avec toi.

TABLEAU 1 CARICATURES DE GESTIONNAIRES

Ces caricatures sont inspirées en bonne partie des types de gestionnaires décrits dans le chapitre 6 de *Profession gestionnaire, tome 1*. En quelques mots elles veulent provoquer une réflexion sur les travers dont chacun peut être victime. Il serait en quelque sorte injuste de caricaturer les employés comme je le fais au chapitre 6 sans accorder la même faveur aux gestionnaires.

Il ne faut donc pas entendre ici que les gestionnaires n'ont que des travers. Bien au contraire, on pourrait tout autant caricaturer en positif le stratège, le visionnaire, l'humaniste, l'engagé, le charismatique, et bien d'autres. Dans le même sens, les caractères décrits ci-après ont aussi des qualités dont il est important de faire mention.

Le thérapeute confesseur

Il ne désespère jamais de quiconque et s'investit même pour le sauver. C'est un sentimental qui déteste l'affrontement et qui risque de sombrer dans le laxisme. Il ira à l'excès dans la défense de son employé devant ses supérieurs, au risque de miner sa propre crédibilité.

Par contre, sa sensibilité et son écoute lui permettent de voir venir les conflits potentiels au sein de son équipe et de prendre les mesures préventives appropriées.

Le rationnel

Centré sur la tâche, il ne voit que les faits et les résultats. Pour lui, l'empathie et les sentiments n'ont pas leur place, ce qui fait qu'il est rigide et autocratique dans son approche. Très structuré, il aura de la difficulté à gérer des employés plus brouillons et moins organisés.

Avec lui, les employés ont cependant « l'heure juste » quant aux objectifs visés et aux moyens à prendre pour les atteindre.

Le désabusé

Amer à cause du manque de soutien de l'organisation et du peu d'engagement de la majorité des employés, il ne croit plus en aucune recette pour les ramener dans le droit chemin. Il a perdu tout enthousiasme et il est parfois cynique.

Le beau côté du désabusé réside dans la liberté qu'il va laisser à ceux qui sont encore mobilisés par des projets auxquels ils croient.

Le délégateur

Peu enclin à la gestion des personnes, il désigne des mini-boss pour s'en occuper. Il ne se mouille pas et, forcément, quelqu'un d'autre que lui sera responsable si quelque chose ne va pas.

Si son délégataire est du type étouffant, c'est la paralysie. Si, par contre, le mini-boss désigné est du type laisser-faire, alors il est possible que les employés les plus dynamiques et futés à la fois se servent du délégateur comme d'un tremplin pour faire approuver leurs projets en faisant miroiter les gains de visibilité qu'il peut en tirer.

Le détendu

Celui-ci ne se laisse surtout pas envahir par l'employé difficile et il entretient avec lui des rapports cordiaux. Il achète la paix en cultivant la pensée magique selon laquelle le problème se résoudra de lui-même avec le temps.

Évidemment, il ne voit surtout pas de problème là où il n'y en a pas et son optimisme a un effet positif sur l'atmosphère dans l'équipe.

Le radical

Il aime prendre le taureau par les cornes et faire appel à la menace directe au besoin pour crever l'abcès. Il est intolérant aux fautes des autres et surtout à la frustration. Son orgueil le perdra peut-être un jour.

Lui aussi donne «l'heure juste» et expose clairement où il s'en va. Son côté menaçant peut avoir un effet activant sur certains employés qui ont besoin du fouet pour être productifs.

L'étouffant

Il appartient souvent de la catégorie des mini-boss. Il surveille les allées et venues de tous parce qu'il est méfiant et il ne fait pas confiance à l'honnêteté des employés. Il contrôle tout pour ne pas « se faire avoir ».

Avec lui, impossible pour l'employé abuseur du système de se payer très largement du bon temps.

Le chasseur de primes

Voilà un autre mini-boss qui l'est uniquement pour la prime. Il agit à l'opposé de l'étouffant : il laisse pleine latitude et fuit l'intervention auprès de l'employé difficile. C'est un faible toujours prêt à dire « Oui patron ».

Avec lui, l'employé dynamique a des chances de faire progresser ses dossiers s'il sait les présenter de la bonne façon.

L'arriviste

Son seul intérêt en gestion : gravir la prochaine marche. Il se cache derrière sa secrétaire et il sort peu de sa tour d'ivoire. L'employé n'est pas une préoccupation pour cet aristocrate parvenu qui est aussi un acteur professionnel dont le public est la haute hiérarchie.

Bien sûr, il représente un atout pour ses supérieurs qui l'ont aspiré vers le haut dans le poste qu'il occupe, car il va toujours aller dans la direction qu'ils lui ont indiquée.

Le coupeur de têtes

Sa spécialité : faire le ménage. Toujours en mission commandée de réduction d'effectifs, il se retire dès qu'elle est menée à bien. Sa philosophie : la fin justifie les moyens et « si je ne fais pas le sale boulot, quelqu'un d'autre s'en chargera ».

En période de compressions budgétaires et de réduction d'effectif, il représente évidemment un atout important pour l'organisation, car peu de gestionnaires sont capables de demeurer froidement indifférents aux pleurs et aux grincements de dents qu'ils provoquent.

4 Des qualités relationnelles

Bon, tu sais où tu t'en vas dans la vie, tu connais tes valeurs profondes, tu es bien au fait de tes forces et aussi de tes faiblesses au regard de la profession de gestionnaire dont tu as fait le choix. Cependant, au-delà du goût et de la volonté de gérer des personnes, il y a la nécessité d'en avoir la compétence, et celle-ci s'appuie sur des habiletés de base associées aux relations interpersonnelles. J'en propose ici une liste partielle.

Cette liste est axée sur la conscience de soi dans toutes les facettes de ta vie personnelle aussi bien que professionnelle. Elle te propose des prises de conscience spécifiquement en action de gestion des personnes. Sept qualités ou compétences, toutes rattachées au thème générique des relations avec soi-même et avec les autres, sont traitées ici.

Le leadership

Le respect

L'humilité

La liberté relativement aux technologies

La communication

La délégation

Le pardon

LE LEADERSHIP

UN CONCEPT PAS FACILE À CERNER

Pour la majorité des gens, l'importance du leadership s'impose d'elle-même : qualité des produits ou services, efficience dans leur production, cohésion des efforts, développement, direction et vision.

Donc, la question n'est peut-être pas de savoir si le leadership est important, mais plutôt de savoir à quel point il l'est. Autrement dit, pour une organisation donnée, quelle sera la différence en termes de résultats entre placer à sa tête un gestionnaire qui a un fort leadership et confier la direction à un gestionnaire qui a un faible leadership ?

Il est devenu très difficile de cerner le leadership et de le définir clairement, d'autant plus que de nombreux spécialistes affirment que le leadership est probablement le sujet le plus étudié et le moins bien compris dans le domaine de la gestion. Qu'on essaie de le circonscrire sous un angle uniquement opérationnel, ou uniquement sur la base de traits de personnalité, ou à partir de la présence d'un certain charisme, on constate que c'est insuffisant. Il est impossible de se limiter à un seul modèle si on veut couvrir toutes les situations dans lesquelles le leadership est susceptible de s'exercer.

Haut dirigeant ou gestionnaire de la base, patron de salariés syndiqués ou d'un groupe de bénévoles, unité à clientèle ciblée ou unité de service au grand public, ce sont là toutes des spécificités qui vont exiger la présence de qualités et de caractéristiques souvent très différentes, et parfois même divergentes.

En amont des qualités et des caractéristiques – communes à toutes les organisations – il y a les assises sur lesquelles le leader va construire sa propre identité et va appuyer les principes, croyances et règles qui vont orienter sa vie.

ACCEPTION COURANTE DU TERME

Ces vingt dernières années, trois modèles de leadership ont été adoptés : le modèle transformationnel, soit celui qui amène des changements profonds dans l'organisation ; le modèle serviteur public basé sur les responsabilités éthiques relativement aux employés, aux actionnaires, au grand public ; et le modèle mixte tributaire de la mondialisation, de l'intégration des différents types mentionnés et d'un retour aux caractéristiques charismatiques.

Voici ma compréhension personnelle de ce que pourrait être le modèle mixte dans nos organisations.

Sur le plan opérationnel, le leadership peut être vu comme l'art de savoir donner des directions, animer, contrôler en vue d'une action collective efficace. Il existe de nombreux ouvrages sur le *management* qui donnent des conseils concernant les façons de faire en matière de leadership : communication avec les autres, analyse des situations, résolution des conflits, négociation. Bref, le leader selon les vues classiques est perçu comme quelqu'un qui sait adapter ses actions à des situations particulières[35].

Sur le plan existentiel, le leadership relève de l'« être » plutôt que du « faire ». Selon cette acception, la qualité première du leader est sa capacité à faire face à l'adversité en imaginant, en situation, des moyens inédits de traiter cette nouvelle expérience, quelque difficile qu'elle soit. Il sait intuitivement modeler l'expérience d'une manière qui lui donne la capacité de réagir et d'en retirer du positif. Ce sont ces expériences qui deviennent les creusets du leadership. Tous affrontent des situations exigeantes, mais peu savent en extraire des leçons qui leur procurent force et sagesse[36].

---

35. THÉVENET, Maurice. *Leadership : l'ÊTRE et le FAIRE*, RH Info, Paris, décembre 2002.

36. BENNIS, W.G., et R.J. THOMAS. « Crucibles of Leadership », *Harvard Business Review*, septembre 2002.

La recherche des qualités qui font un bon leader peut être alimentée par le constat que les unités de travail les plus efficaces sont celles au sein desquelles les employés font ce qu'ils savent le mieux faire, travaillent en collaboration avec des collègues qu'ils aiment et se sentent fortement responsables des résultats de leur travail. Ce sont là trois facteurs majeurs caractérisant l'engagement et la mobilisation qui résultent naturellement d'un bon leadership de la part du dirigeant.

Si tu veux être un bon gestionnaire...

◆ ◆ ◆

Les adultes, comme les enfants, ont plus besoin de modèles que de critiques ou de professeurs.

Si tu veux être un bon gestionnaire, donne l'exemple : sois tôt à pied d'œuvre le matin et évite de quitter prématurément à la fin de ta journée de travail. Townsend[37] va plus loin en prescrivant d'arriver le premier le matin et de quitter le dernier le soir. Une exagération volontaire de laquelle se dégage cependant une certitude : on fait très mauvaise impression en n'entrant qu'à neuf heures le matin et en quittant à seize heures l'après-midi. Exagération ici aussi, mais les employés et collègues portent souvent des jugements lapidaires à partir de simples perceptions.

Par contre, en prolongement de ce qui précède, le bon gestionnaire sera le premier au front pour l'attaque ou la défense. Une fois « le linge sale lavé en famille », il se retourne et défend ses troupes avec force et conviction.

37. TOWNSEND, Peter. *Au-delà du management*, Paris, Arthaud, 1970.

Si tu veux être un bon gestionnaire, adopte la politique de la porte ouverte : tout un chacun parmi tes employés peut entrer dans ton bureau et te déranger, à moins que tu ne fermes ta porte sciemment, ce que tu feras le moins souvent possible. Par ailleurs, cette politique te donne aussi le droit de vilipender un employé qui vient te faire perdre ton temps pour des balivernes ou qui vient dénoncer un problème sans avoir de solution à proposer. Sois juste et ferme dans tes réactions.

Si tu veux être un bon gestionnaire, exploite tes facultés charismatiques. Si tu n'en as aucune, alors oublie ça. En effet, le charisme, selon le *Petit Robert*, c'est un don particulier conféré par grâce divine. Ce don, inné, procure un ascendant sur les autres. Le charisme se trouve dans toutes les couches de la société, du plus humble au plus puissant, mais il est davantage mis en évidence chez les personnes en position d'autorité.

Le charisme est difficile à définir ; mais il se détecte par ses effets : on est en quelque sorte subjugué par le discours, parfois simplement par la présence de cette personne, on est séduit par un charme difficile à décrire mais qu'on « sent » très bien.

Le gestionnaire charismatique possède naturellement un puissant levier de mobilisation qui l'autorise à demander davantage à ses employés et à l'obtenir d'emblée. Mais ce n'est pas tout de posséder les bases innées du charisme, il faut aussi, pour en maintenir l'effet, le soutenir par l'excellence professionnelle.

UNE QUALITÉ ESSENTIELLE : L'ENGAGEMENT

Le charisme n'atteindra son plein effet que si tu crois en ton organisation et que tu la défends avec énergie et enthousiasme. J'appelle cela l'engagement.

L'engagement, ce sont tes attitudes et tes actes qui confirment que tu crois en une cause, en l'occurrence celle de ton organisation, et qui vont au-delà de ton rôle, si important soit-il pour ton organisation, en démontrant ton indéfectible loyauté envers elle.

En tant que gestionnaire engagé, tu te montres tout aussi loyal envers tes subordonnés avec qui tu es vrai, authentique, cohérent. En effet, tu auras beau concevoir les meilleurs plans, ils sont voués à l'échec si tes employés ne les endossent pas, et ils ne les endosseront que s'ils croient en ton authenticité. En l'absence d'engagement, d'explications et de clarté de ta part, tes employés se sentiront trompés et refuseront de s'engager eux-mêmes.

Le résultat ultime : la mobilisation

D'entrée de jeu, j'aimerais reproduire ici cette opinion de Gupta-Sunderji[38] : « Dans notre monde où tout se déroule à un rythme accéléré, on s'attendrait à ce que le plus grand enjeu [...] soit l'évolution rapide de la technologie, le besoin de devancer la concurrence ou encore l'obtention de capitaux. Toutefois, si vous posiez la question à un gestionnaire ou à un chef d'équipe, la réponse serait tout autre : le plus grand enjeu, c'est la gestion et la motivation des employés. Tous les autres enjeux [...] deviennent secondaires si vous avez de la difficulté à inspirer vos troupes. »

Motivation ou mobilisation ? Voilà la question ! Je voudrais apporter une distinction entre ces termes et celui, apparenté, de responsabilisation. L'ouvrage *Profession gestionnaire, tome 1* traite ces thèmes selon une vision que je qualifierais d'opérationnelle, alors que dans le présent ouvrage j'aborde la signification de ces termes à partir de considérations d'ordre sémantique.

Motiver les gens au travail, c'est faire en sorte qu'ils trouvent un sens à leur travail et reconnaissent les motifs qui les amènent à s'engager dans une action. **La motivation est alimentée par des sources extrinsèques à la personne** tels une bonne rémunération, de bonnes conditions de travail, un environnement social agréable, l'instabilité de l'emploi. La motivation peut être activée ponctuellement, pour un projet donné, par les gains intéressants qu'on fait miroiter à l'employé. La motivation doit constamment être alimentée pour la maintenir à un haut niveau.

38. GUPTA-SUNDERJI, Merge. « La motivation des employés », *CGA Magazine*, novembre-décembre 2003.

Mobiliser les personnes, c'est faire en sorte qu'elles s'attachent à l'organisation, qu'elles se mettent spontanément en mouvement, qu'elles s'organisent et qu'elles manifestent des attitudes et des comportements qui concourent à la réalisation de ses objectifs. La mobilisation exige un engagement ferme et une grande transparence de la part de la direction. Une fois bien installée, la mobilisation est stable et se maintient par elle-même dans le temps.

La mobilisation repose sur des sources intrinsèques à la personne, soit le plaisir, le sentiment d'épanouissement, le bien-être et le sentiment de compétence dans la réalisation de l'activité. Passionnée, la mobilisation émerge des profondeurs et engendre enthousiasme, énergie et volonté d'aller jusqu'au bout. La distinction avec la motivation, c'est que la personne mobilisée, c'est-à-dire intrinsèquement satisfaite, choisit librement de s'engager dans son activité et tire son énergie de la conformité entre ses valeurs et ses compétences, d'une part, et la pratique même de l'activité, d'autre part.

Enfin, responsabiliser les personnes, c'est faciliter la prise en charge de leur travail. **La responsabilisation, c'est la quête de cette énergie autoporteuse** qui fait que les gestionnaires se sentent en confiance quant à la qualité du travail, sans avoir à tout vérifier constamment.

Il faut cependant éviter le piège trop souvent décrié par ses victimes, selon lequel il ne suffit pas de dire à un employé qu'il est maintenant « responsable » sans lui accorder simultanément la liberté d'action requise pour lui permettre d'atteindre les résultats qu'on lui demande d'atteindre. C'est en quelque sorte se procurer le bon vieux bâton sans même se donner la peine de trouver une carotte à faire miroiter. C'est là une médiocre tentative de manipulation qui ne dupe personne, et même un âne ne s'y ferait pas prendre.

Si tu veux être un bon gestionnaire, sache distinguer l'ascendant issu du charisme de l'ascendant qui est le produit d'un narcissisme manipulateur. Il n'y a aucune commune mesure entre ces deux mécanismes d'influence. Les prises de conscience que tu étais invité à faire dans les quatre premiers chapitres devraient t'avoir éclairé quant à ce qui sous-tend ta façon de mobiliser tes employés.

Beaucoup croient encore qu'un bon leader est celui qui sait manier habilement la carotte et le bâton. Récompense et punition sont des outils qui peuvent servir à motiver les employés, mais le véritable leader va beaucoup plus loin : il sait les mobiliser pour qu'ils donnent le meilleur d'eux-mêmes dans la direction qu'il juge la plus souhaitable pour l'organisation. Cet effet d'entraînement trouve sa source d'abord dans ses caractéristiques personnelles qui inspirent confiance, loyauté et engagement.

Si tu veux être un bon leader, travaille continuellement à mieux te connaître toi-même. Attention, cependant : ce ne sont pas les tests de personnalité ou les mises en situation fictives qui permettent d'obtenir des résultats durables. La voie de la connaissance de soi en est une sans fin sur laquelle on chemine sans trêve. Elle est, pour utiliser les termes de Marie-Madeleine Davy[39, 40], *un itinéraire à la découverte de l'intériorité* qui constitue une *traversée en solitaire*.

Si tu veux être un bon gestionnaire, tu dois maintenir ta participation et ton engagement envers ceux qui font tourner l'entreprise. Regarde au loin, développe une vision et mise sur le travail d'équipe pour l'atteindre. Sois discret, laisse le crédit des succès à tes collaborateurs et laisse-leur les tribunes qu'ils ont méritées.

Socrate et l'oracle de Delphes[41] te l'ont prescrit il y a 25 siècles : « Connais-toi toi-même. » Ce n'est pas d'un professeur dont tu as besoin pour ce faire, mais d'un guide qui te montre le chemin dans les moments de grande noirceur. Il est préférable d'être guidé parce que, tout au long de ce périple, surgissent des remises en question non seulement quant à ce que tu es, mais aussi quant à tes rapports au monde et aux autres. En sortant grandi et plus fort de ces situations, tu sauras acquérir ces qualités qui font un bon leader.

39. DAVY, Marie-Madeleine. *Un itinéraire à la découverte de l'intériorité*, Paris, Desclée de Brouwer, 1984.

40. DAVY, Marie-Madeleine. *Traversée en solitaire*, Paris, Albin Michel, 1989.

41. PLATON. *Apologie de Socrate, Criton, Phédon*, Paris, Garnier-Flammarion, 1965.

LE RESPECT

La gestion des personnes est avant tout affaire de relations interpersonnelles. C'est la rencontre de deux subjectivités dont il est important de comprendre les principaux mécanismes.

Il faut savoir que la quête d'une gestion idéale est un chemin et non une destination finale. Le gestionnaire parfait n'existe pas et n'existera jamais. Notre approche de la gestion des ressources humaines doit donc constamment répondre à l'injonction au sujet du travail : « Polissez-le et repolissez-le sans cesse ! » En appui à cette thèse, le philosophe Bertrand Russell disait : « L'ennui dans ce monde, c'est que les idiots sont sûrs d'eux et les gens sensés pleins de doutes. » Sois sensé, doute de toi-même et sois toujours en quête de la vérité sur toi, les autres et l'environnement.

Il sera traité ici de quatre thèmes qui sont faits de la même pâte : le respect de la nature humaine dans le contexte froid et calculateur du monde du travail. Ils appellent encore une fois à un effort d'introspection.

L'EMPLOYÉ : UNE PERSONNE OU UNE RESSOURCE ?

Erich Fromm[42] décrit ce qu'il appelle le « caractère de marketing » qui consiste pour l'individu à se voir lui-même comme une marchandise et à s'apprécier davantage dans sa valeur marchande plutôt que dans sa valeur humaine.

L'individu se voit comme une marchandise sur le marché des personnalités. N'en est-il pas légitimé par le fait que les organisations, représentées par leurs cadres recruteurs, voient et traitent de cette façon les candidats à un poste dans leur organisation ? On évalue les qualités humaines et les talents, mais il faut reconnaître que le facteur « personnalité » joue toujours un rôle décisif malgré la conviction de l'évaluateur de faire une sélection objective.

42. Voir référence n° 13.

Je dois avouer que je me suis gouré de façon magistrale à quelques reprises dans mes opérations de recrutement. Ce n'est qu'avec beaucoup de recul dans le temps que je puis admettre bien honnêtement ces bêtes et coûteuses erreurs de gestionnaire influençable.

Attention ! Tu es toi aussi influençable, que tu en conviennes ou non. C'est heureux d'ailleurs car, comme toute caractéristique humaine, « l'influençabilité » bien gérée se transforme en qualité.

Dans la course à l'emploi idéal, le talent et les aptitudes ne suffisent pas. Si tu travailles à te constituer une belle personnalité, à soigner l'emballage du produit que tu représentes, si tu te révèles dynamique, confiant, ambitieux, tu auras de bien meilleures chances de gagner la compétition contre les autres candidats que si tu t'appuies seulement sur tes compétences.

Il n'y a qu'un pas pour en venir à croire que le plus important, c'est d'être négociable. Tant et aussi longtemps que les gens ne s'élèveront pas contre une telle culture qui favorise l'emballage plutôt que le contenu, ils continueront à creuser le fossé entre leur intellect ainsi alimenté et leur attachement à ce qu'ils sont profondément. Ils ne réussiront, bien à leur insu, qu'à atrophier leurs qualités humaines.

Si les personnes se voient ainsi, comme des produits à vendre au meilleur prix (le meilleur emploi), doit-on se surprendre que les entreprises les voient aussi de cette façon ?

Il est assez ironique qu'il faille être frappé par un contexte de pénurie de main d'œuvre pour que des dirigeants redécouvrent les vertus du respect des personnes. C'est ce qu'on met de l'avant aujourd'hui au nom d'une plus grande humanisation du travail mais, en réalité, c'est sur la base d'intérêts de pure productivité.

Quoi qu'il en soit, ces démonstrations de grandeur d'âme vont dans le bon sens et elles pourront résulter en une humanisation réelle et croissante du travail. Cependant, si elles ne reposent que sur les impératifs économiques à court terme, la tendance actuelle sera un jour ou l'autre inversée et l'ancienne tendance à considérer l'humain comme un simple moyen de production reviendra au galop.

On doit espérer qu'aujourd'hui, dans un contexte de retour en force des valeurs humaines dans les relations sociales, de plus en plus de dirigeants d'entreprise soient profondément convaincus que l'approche humaniste en gestion des ressources humaines est payante. Pour bien mettre l'accent sur la reconnaissance de l'unicité de chaque employé, on devrait peut-être commencer par éliminer le collectif « ressources humaines ». C'est d'ailleurs ce que j'ai proposé en introduction à cet ouvrage.

L'homme a besoin d'être reconnu comme quelqu'un, non pas comme quelque chose! Toute organisation qui traite ses employés comme des moyens de production est sur la mauvaise piste. En effet, la rémunération et les autres compensations financières permettent largement, dans les milieux professionnels, de combler les besoins matériels de base. Au-delà de ces besoins de survie se trouvent des besoins sociaux de relation et d'intimité qui, s'ils sont satisfaits, vont permettre à chacun de se sentir reconnu en tant qu'être humain.

L'employé est ainsi plus heureux, plus motivé, plus productif.

LA RECONNAISSANCE ET LA VALORISATION

La reconnaissance est un besoin universel, tout le monde le sait, mais quelle difficulté semblent avoir quantité de gestionnaires à l'activer ! Tu ne dois pas te contenter d'offrir la reconnaissance et la valorisation à ceux qui en demandent, qui vont la chercher parce qu'il s'agit pour eux d'un besoin de base. Il est tout aussi important de les appliquer au plus productif – que souvent tu oublies en te disant qu'il le sait bien qu'il est bon et qu'il n'a pas besoin que tu le lui répètes – et au moins productif en te disant qu'il n'y a plus rien à faire avec lui.

Le chapitre 5 apporte des précisions sur la croissance du phénomène de détresse psychologique au point où une personne sur trois dit en souffrir aujourd'hui. Et de quoi est-elle faite, cette détresse ? Principalement de solitude et d'incapacité de se situer d'abord, et de s'adapter ensuite aux changements si nombreux et si importants.

L'humain a un besoin absolu d'être reconnu comme personne significative et, si ce n'est pas en bien, alors il vaut mieux en mal que pas du tout. C'est ce qui ressort des comportements dérangeants d'enfants « de bonne famille » qui sont ignorés de parents trop absorbés par leur recherche de pouvoir (richesse, statut professionnel, position sociale) pour leur accorder l'attention si indispensable à leur développement. Alors, l'enfant devient délinquant puisque c'est de cette seule façon qu'il pourra se faire reconnaître comme personne significative.

Dans la réalité quotidienne du milieu de travail, un outil tellement simple de valorisation et de reconnaissance, c'est ce simple mot: MERCI! La reconnaissance est l'un des principaux facteurs de fidélisation. Dire merci au moindre bon coup de l'employé est souvent un baume sur la fatigue, la lassitude d'un travail parfois morne et de peu d'intérêt. D'autres petits mots peuvent aussi avoir un grand impact: « S'il te plaît » et « Tu fais un bon travail ». La sincérité est ici un ingrédient essentiel à la crédibilité.

Une autre façon de reconnaître la valeur du travail et la valeur du travailleur lui-même consiste à l'amener aux rencontres où se prennent les décisions, à le laisser présenter lui-même les résultats dont il est fier. Dans le même ordre d'idées, on peut lui laisser vendre lui-même ses résultats à l'extérieur, aux clients à qui s'adressent ses travaux.

Dans un contexte où l'organisation ne peut jouer sur la rémunération pour retenir ses meilleurs employés, l'importance de ces petits gestes n'est que plus grande.

Sur un plan plus large, **il faut faire savoir « clair comme du cristal » quand l'employé fait bien et quand il réalise une piètre performance**. En observant les gens qui font un bon coup et en les félicitant sur-le-champ, tu les aides à atteindre leur plein potentiel. Tu dois suivre de près la performance de ton employé non pas pour insister sur ce qu'il fait mal, mais pour saisir l'occasion de louanger ce qu'il fait bien[43]. Nul besoin que ce soit long, il s'agit d'abord que ce soit sincère et intense. Il faut ensuite que ce soit exprimé au fur et à mesure des bons coups et non seulement au moment de l'évaluation annuelle.

43. BLANCHARD, Kenneth, et Spencer JOHNSON. *The One Minute Manager*, New York, Berkley Books, 1982.

Aussi paradoxal que cela puisse paraître, ton employé se sentira aussi reconnu comme personne significative lorsque tu lui signifieras que son travail n'est pas satisfaisant. Encore ici, le respect est fondamental : on doit exposer ce qui était attendu et ce qui a été réalisé et faire montre d'**immédiateté et de clarté** pour exprimer la remontrance. À la limite, si le constat est que ton employé n'a pas les compétences requises pour faire le travail, il faut prendre le taureau par les cornes et le lui dire maintenant. Il ne faut pas oublier que c'est l'indifférence et le manque de respect qui blessent et parfois tuent le moral d'une personne.

ÉQUITÉ ET JUSTICE

Les employés doivent se sentir respectés comme personnes. Cela passe, entre autres, par des attitudes et des actions qui laissent transparaître la justice et l'équité envers tous. Arrête-toi encore une fois et demande-toi si tu es juste et équitable envers tous tes employés dans les décisions administratives que tu prends.

Quand deux employés se plaignent mutuellement du fait que l'autre en fait moins pour les mêmes conditions de travail, est-ce que tu tranches à la Salomon, ou encore est-ce que tu privilégies celui qui t'est le plus sympathique ? Ou, plus équitablement, est-ce que tu étudies tous les éléments du conflit pour prendre une décision sur des bases objectives ?

Est-ce que tu juges tes employés sur leurs œuvres concrètes ou bien sur leurs qualités personnelles, leurs relations ou autres influences qui n'ont aucun rapport avec les résultats ?

Est-ce que tu récompenses – es-tu seulement en mesure de le faire – les véritables performances ou bien donnes-tu la même chose à tous, même aux plus médiocres ? Aussi bête que cela puisse paraître, dans certains milieux le simple refus d'accorder une augmentation annuelle pour raison de piètre performance peut attirer un grief. C'est une tâche pénible que peu de gestionnaires ont le courage d'exécuter ; la plupart aiment mieux laisser filer pour acheter la paix.

LOYAUTÉ ET HONNÊTETÉ

Quand tu recrutes un nouvel employé, tu fais miroiter les belles facettes de l'emploi et de l'organisation. Plus ou moins explicitement, tu prends des engagements quant aux tâches à remplir, aux travaux à réaliser. Tu en prends aussi sur le plan des relations que vous allez entretenir et sur ton mode de gestion. Il s'agit d'une sorte de contrat psychologique.

Dans un contexte de changements importants et fréquents qui provoquent une vision floue de l'avenir, autant pour l'entreprise que pour l'employé, il est devenu important que ce dernier se sente appuyé solidement par une forme de contrat psychologique fait de promesses et d'engagements de l'entreprise à son égard; l'employé, en retour, doit s'engager aussi de façon semblable.

Là où le bât blesse, c'est que ce changement même qui a amené cette notion de contrat psychologique provoque simultanément l'apparition de nouvelles orientations, de nouvelles priorités qui font remiser aux oubliettes les clauses de ce fameux contrat. Celui-ci est violé et, à la longue, las d'attendre une remise en œuvre des engagements, l'employé se désengage lui-même graduellement. Il perd cette belle motivation que tu avais réussi à lui inculquer, et à la limite il devient amer et cynique envers l'organisation.

La rapidité d'action exigée par les dirigeants de la part de leurs cadres, couplée au rythme fou des changements qui ne cessent de déferler sur les organisations, a pour effet, en bout de piste, de réduire le niveau de contrôle qu'ont les employés sur leur travail. Cela aussi a un impact négatif important sur la motivation des employés.

L'HUMILITÉ

LA NOTION DE MÉRITE

Comme il est difficile pour un gestionnaire d'admettre devant un employé qu'il s'est trompé, et encore plus s'il doit le faire devant toute l'équipe ! La plupart laissent filer et essaient de corriger le tir sans en parler. Pire, certains, incapables d'admettre qu'ils se sont trompés, vont reporter la faute sur l'autre, sur l'équipe voisine, sur les dirigeants.

Il est important, pour gagner le respect de tes employés, de te montrer tel que tu es, c'est-à-dire humain, imparfait et faillible. L'apparence de perfection engendre plus de jalousie et de crainte que de respect.

Si tu es imbu de toi-même, si tu crois que tout le bien qui t'arrive t'est dû, que tu le mérites plus que tout autre, voici quelques éléments de réflexion, un petit exercice d'humilité qui mettra un bémol à ton orgueil et à ton narcissisme.

D'abord, de quelles vertus te crois-tu investi pour mériter d'avoir ce que tu as et pour être ce que tu es ? As-tu obtenu ce que tu possèdes, as-tu accédé aux plus hauts sommets par ton seul mérite ? Et il est où, ton mérite ? Tu me diras que tu es digne d'être récompensé pour l'intelligence et la belle personnalité qui t'ont été données ? Le lièvre qui bat la tortue à la course a-t-il du mérite ?

Commençons par le commencement : quel est ton mérite d'être né ? Quel est ton mérite d'avoir choisi tes parents, leurs qualités dont tu as hérité par voie génétique, leur confort matériel qui t'a permis d'accéder aux plus hautes études, l'intelligence dont le hasard de la combinaison de leurs gènes t'a pourvu, leur influence qui t'a ouvert bien des portes ? Si tu as du mérite digne de récompense ici, alors le pauvre enfant qui naît trisomique devrait-il être puni pour ce qu'il est ?

As-tu aussi choisi l'environnement affectif dont tu as été gratifié ? As-tu choisi de ne pas naître dans une famille où affection, tendresse, attention sont inexistants ? Est-ce toi qui as demandé dès ta naissance qu'on s'occupe de toi, qu'on t'apporte toutes les stimulations dont tu avais besoin pour te développer affectivement et intellectuellement ? De tout ce que tu as reçu jusqu'à ta maturité, quelle est la part qui vient de tes choix personnels ?

Bon, je sais, je me répète, j'ai déjà traité abondamment de ces choses au chapitre 3. Je vais arrêter ici et souhaiter que tu fasses par toi-même le reste du cheminement sur la voie du mérite. Ah ! À propos, t'ai-je dit que le mot « mérite » n'existe pas dans mon dictionnaire ? C'est justement là un mot qui engendre jalousie, discrimination et conflits parfois ouverts, souvent larvés. Je n'aime pas ce mot qui met bien plus en évidence la différence en termes de supériorité et d'infériorité plutôt qu'en termes d'unicité de l'individu.

Et pourtant, je devrais être le premier à valoriser le mérite car, quand j'étais à l'école primaire (fin des années quarante, début des années cinquante) les bulletins mensuels étaient délivrés devant toute l'école dans la grande salle. Je montais donc sur la scène rempli d'orgueil et de fierté car j'étais neuf fois sur dix le premier de ma classe. Cependant, je travaillais très fort pour arriver le premier simplement parce que j'étais incapable de recevoir la moindre critique. J'en avais une véritable phobie. Ça peut sembler facile de découvrir ses motivations profondes, mais dans mon cas il a fallu attendre le mitan de ma vie pour en devenir profondément conscient.

Voici un exemple très différent en matière de motivation. Le moteur du politicien qui se maintient au pouvoir malgré l'évidence de son ineptie causée par une trop longue présence à ce poste, c'est sa soif inextinguible de pouvoir. Il est devenu incapable de se priver du plaisir qu'il retire à se faire prier, courtiser et solliciter, à faire attendre et à refuser, à promettre et à ne pas donner, à avoir une cour et des serviteurs, à être protégé comme personnage important. A-t-il du mérite de profiter ainsi de sa position, acquise par l'absence de concurrence et maintenue par la loi ou la force, pour recevoir encore des marques de respect et de reconnaissance alors que plus personne ne veut de lui ? Est-il vraiment digne de récompense ? C'est un beau cas qui confirme que l'ambition perd son maître.

Est-il juste, dans une société qui se dit égalitaire et fraternelle, de récompenser des actes qui sont issus de motivations parfois basses, souvent mesquines ? Cette société dont les fondements reposent dans la réalité sur des intérêts économiques et mercantiles doit bien, pour être conséquente avec elle-même, stimuler toujours et encore la compétition et la concurrence, et tant pis pour les faibles et les démunis ! Pour la justice et l'équité en ce bas monde, on repassera !

Vanitas vanitatum et omnia vanitas !

PROFESSION GESTIONNAIRE : UN APPRENTISSAGE JAMAIS TERMINÉ

Certains cadres ont tendance à croire que la formation est pour les autres, les employés de la base surtout, dans le fond, ceux qui produisent les résultats. Cela tient au fait qu'ils se disent qu'ils n'ont pas le temps parce que leur présence au boulot est trop importante, que c'est fastidieux de retourner sur les bancs d'école après avoir travaillé si fort pour être rendu là, qu'ils maîtrisent les connaissances que leur fonction exige. Je veux leur rappeler ici cette opinion du scientifique et philosophe français Claude Bernard: **C'est ce que nous pensons déjà connaître qui nous empêche souvent d'apprendre**.

Ils vont plutôt choisir de participer – assister serait plus juste – à des congrès, colloques, symposiums de toutes sortes pour remplir une exigence fondamentale de leur poste, soit établir des contacts et prendre connaissance des nouvelles orientations dans leur domaine. Pour quelques-uns, c'est vrai car ils s'investissent beaucoup dans ces rencontres afin de les rendre vraiment productives. Pour bien d'autres, c'est plutôt perçu comme une récompense bien méritée.

Encore une fois, regarde-toi bien dans le miroir et ouvre grand les yeux sur le fait qu'en réalité il t'en manque de grands bouts et que, plus ça évolue, plus ça va vite, moins tu en sais en matière de gestion dans un environnement toujours plus technologique. Penche-toi sur tes compétences en matière de gestion des personnes, le volet de la gestion le plus exigeant, le plus complexe, le moins bien maîtrisé par la plupart de ceux qui occupent des postes de gestionnaires. Découvre tes carences et investis temps et efforts pour les combler. Ce sera un investissement rentable.

La liberté relativement aux technologies

Ce que j'entends ici et que je te propose, c'est une réflexion sur les thèmes – autres néologismes – de la *technomanie** et de la *télésubordination***. Je t'appelle à la résistance à ces déviances proposées par ces vendeurs d'illusions que sont les grands producteurs de logiciels et d'équipements informatiques. Sans le vouloir et sans même s'en douter, ils ont créé un produit dérivé que j'appelle la « laisse électronique », que bien des hauts dirigeants veulent mettre au cou de leurs cadres.

Des outils tels l'ordinateur portable, le téléphone cellulaire, le téléavertisseur, l'agenda électronique et l'accès Internet universel rendent de plus en plus floues les frontières entre temps de travail et temps personnel ; cela se traduit souvent par une augmentation des heures de travail réellement effectuées.

En prime, cette technologie qui donne plus de flexibilité au travailleur fournit du même coup à l'employeur un accès en tout temps et en tout lieu à son employé. Certains gestionnaires sont tentés d'en faire l'utilisation à cet effet et font même l'excès de tenir en « laisse électronique » leurs employés clés durant leurs vacances. Cela devient un problème pour ceux qui ont de la difficulté à fermer la porte du bureau derrière eux. Il appartient cependant à chacun de définir ses propres limites ; cela est vrai ici comme dans toutes les sphères de la vie.

* Technomanie : utilisé ici pour exprimer la tendance à s'entourer et à utiliser à toutes les sauces les outils informatiques et de télécommunications ; le technomane présente les particularités de vouloir « essayer » le plus vite possible les nouveaux gadgets et d'en apprendre l'utilisation en mode d'essai et erreur, sans se formaliser des essais infructueux.

** Télésubordination : utilisé ici pour décrire l'asservissement aux outils de télécommunications portables tels le téléphone cellulaire, le téléavertisseur, l'ordinateur portable et l'agenda électronique auxquels l'employé est asservi au point de se sentir obligé – à la demande de son patron ou de son propre chef – de les laisser en service en mode pratiquement continu pour être disponible à tout moment et en tout lieu, même durant la période des sacro-saintes vacances annuelles.

De telles pratiques font maintenant partie de la culture de certaines organisations. Quand les gestionnaires des plus hauts niveaux donnent l'exemple en s'attachant eux-mêmes volontairement à leur travail à l'aide de la technologie, ils instaurent insidieusement une culture du 24/7 chez les gestionnaires des autres niveaux de la hiérarchie. Plus ces derniers sont convaincus de l'importance de leur mission professionnelle, ce qui revient à dire de leur importance propre, plus ils trouveront plaisir et satisfaction à rester accrochés et plus ils valoriseront ce comportement chez les autres.

Autre conséquence importante du don d'ubiquité que confèrent les technologies de l'information et des communications: les gestionnaires qui les adoptent, où qu'ils soient et quel que soit le moment, en fin de semaine, en vacances ou en réunion à l'extérieur, auront souvent tendance à laisser de moins en moins d'initiative à ceux qui assument l'intérim de la gestion. Ils veulent tout savoir, à tout moment, et prendre toutes les décisions d'importance. Où se situe, dans ce contexte, le nécessaire apprentissage en action des successeurs éventuels?

De même, on exige d'un nombre grandissant d'employés d'être toujours disponibles pour répondre soit au téléphone cellulaire fourni par l'organisation, soit au signal d'un téléavertisseur. Pour beaucoup, insidieusement, cela devient une charge psychologique supplémentaire importante. La communication en continu, qu'elle soit active ou passive, entraîne une sujétion permanente de l'employé. **Ainsi, la télédisponibilité impose une télésubordination certaine.**

Les employés sentent qu'ils peuvent de moins en moins éviter ou fuir la technologie qui permet de les joindre en tout temps. Seulement 5 % des employés qui disent travailler plus de 40 heures par semaine déclarent ressentir un sentiment d'accomplissement à la fin de leur journée de travail[44].

44. HONEY, Peter. « "Digital Depression" identified as new form of stress », *Management Services*, mai 2003.

Je propose ici sept caractéristiques qui permettent de diagnostiquer ce trouble :

- la croyance que la technologie est un processus évolutif irréversible et que seuls ceux qui la maîtrisent peuvent rêver d'une belle carrière ;
- l'incapacité de se débrancher du travail ;
- les interruptions incessantes de concentration au travail ;
- l'impossibilité de se concentrer sur une seule tâche à la fois ;
- la multiplication sournoise des plus récents gadgets technologiques ;
- la difficulté de comprendre l'apparent illogisme de certaines réactions de son ordinateur dans un contexte d'urgence à produire ;
- l'arrivée incessante de nouveaux messages qui multiplient les questions auxquelles il faut répondre et les problèmes à résoudre.

Si ta principale réalisation quotidienne consiste à vider ta boîte de courriel, alors cela signifie que tu vaques aux priorités des autres, non aux tiennes, et tu risques fort de succomber à l'un ou l'autre de ces maux.

EXERCICE 5 SUIS-JE UN BON CANDIDAT À LA LAISSE ÉLECTRONIQUE ?

À la base des difficultés précisées dans la dernière section se trouvent des idéations irrationnelles qui peuvent facilement être contrées une fois qu'elles sont bien reconnues. Je te propose de réagir aux pensées irrationnelles suivantes :

Je suis le seul à pouvoir répondre adéquatement aux questions et à savoir résoudre les problèmes.

____

____

____

Si je m'absente plus de deux jours, je ne viendrai pas à bout des centaines de messages auxquels, bien sûr, je dois répondre.

____

____

____

Je vais gagner des points aux yeux de mes patrons si je me rends disponible en tout temps.

____

____

____

Un chien tenu en laisse mais gras dur est plus heureux qu'un chien en liberté mais raide maigre (revoir *Le loup et le chien* de M. de La Fontaine).

____

____

____

Si je n'ai pas un cellulaire fourni par le bureau, cela signifie que je ne suis pas important.

Le système est infaillible; c'est sûrement moi qui ne comprends pas et qui ai fait des erreurs.

Je suis convaincu que tu pourrais en trouver beaucoup d'autres. Je t'invite à en faire la liste et à en examiner la rationalité en te posant des questions telles que:

Bon, c'est ce que je me dis, mais ai-je des preuves de ce que j'avance?

Qui pourrait confirmer mes suppositions avec des faits concrets à l'appui?

Est-ce que mes patrons, eux, confirmeraient ces opinions?

LA COMMUNICATION

◆ ◆ ◆

S'exprimer est à l'être humain ce que la soupape d'échappement est au moteur: en son absence, la pression devient trop forte et tout explose.

Combien souvent cela est susceptible de se produire en milieu de travail, particulièrement entre un gestionnaire et son employé.

Si, pour ménager l'autre, pour étouffer ses représailles ou pour éviter de paraître médiocre et faible tu retiens ta colère, ta peine ou ta frustration, tu laisses croître en toi une pression qui te détruit lentement.

Tu t'es fait dire: «Mon gars, on ne pleure pas, on est fort, il y a des choses bien plus graves que cela dans la vie.» Étrange, mais beaucoup de mères ont aussi dit cela à leur fille. Alors, tu as compris que tu n'as pas le droit d'exprimer ni même de ressentir la tristesse. Ce que tu comprends, c'est que tu ne mérites pas qu'on s'occupe de toi, qu'on console l'enfant en toi qui veut pleurer.

Tes copains se sont moqués de toi. On t'a dit: «Ne laisse jamais paraître que ça t'affecte, que ça te blesse. Sois indifférent et ils vont te laisser en paix.» Erreur! L'agresseur va en mettre encore plus jusqu'à ce qu'il sente que son but est atteint, que tu es touché. Pour mieux résister à ces agressions, tu épaissis ta carapace. Plus personne ne peut y entrer, pas plus que tu ne peux en sortir: tu deviens inapte à t'exprimer.

L'expression des pensées et des sentiments est nécessaire à la véritable intimité. L'intimité implique la capacité d'éprouver les besoins et les préoccupations de l'autre comme aussi importants que les siens propres. Il s'agit de se relier aux espoirs et aux craintes les plus profonds d'une autre personne. Être intimes, c'est partager et prendre soin.

Quand tu ne peux partager tes sentiments, quand tu te retrouves seul sans personne de qui te soucier et qui se soucie de toi, l'isolement que tu n'as pas appelé force soudainement ta porte.

Partager, c'est mettre en commun, c'est communiquer. Cela exige trois habiletés : l'**empathie**, c'est-à-dire la capacité de te mettre à la place de l'autre, de « chausser ses mocassins » pendant un certain temps pour bien le comprendre sans toutefois perdre le contact avec toi-même ; le **respect** de l'autre qui te fait l'accueillir tel qu'il est et non tel que tu voudrais qu'il soit ; l'**authenticité** qui te montre à l'autre tel que tu es, qui exige de toi une grande transparence.

L'autre, ce peut être ton conjoint, ton ami, ton collègue de travail, ton employé. Tout à coup, il te regarde d'une certaine façon, il te dit quelque chose qui te dérange. Tu ressens de la peine ou de la colère.

Pour être efficace, **ta réaction doit être immédiate** ; il est important de battre le fer pendant qu'il est chaud. Mais, attention, pas n'importe quelle réaction !

Tu dois d'abord être spécifique : commencer par décrire les faits que tu viens d'observer, soit les propos et les comportements dans leur contexte particulier.

Puis, décrire ce que tu ressens comme émotion, par opposition à la vivre, à l'exprimer crûment, pour éviter que l'autre se sente agressé par ce qu'il percevrait comme une accusation de ne pas être « correct ».

Enfin, dire pourquoi tu ressens cela, ce qui est difficile parce que ça exige de surmonter la honte de cette apparente faiblesse chez un gestionnaire pur et dur d'être émotionnellement affecté.

En même temps, plus ou moins consciemment, un questionnement s'impose à toi : Pourquoi a-t-il dit ou fait cela ? Il m'en veut ! Il ne m'aime pas ! Ai-je fait ou dit quelque chose qui l'a blessé ? Tu ne réagis pas immédiatement, tu restes sur tes questionnements et tu deviens angoissé parce que l'imagination t'entraîne vers le pire.

Si tu laisses filer, si tu ne le dis pas, tes émotions sont refoulées, mais elles sont toujours là. Elles viendront brouiller le prochain échange et, d'une fois à l'autre, la situation va se compliquer, l'incompréhension mutuelle va grandir.

Ces situations non terminées vous rendent malheureux tous les deux. Dès qu'une émotion monte, quelle qu'elle soit, laisse-la venir. Accueille-la comme on accueille une amie. Laisse-la s'exprimer, te dire pourquoi elle est là, et tu pourras alors aisément, calmement, l'exprimer à l'autre. Vous pourrez ainsi rapidement dégonfler un ballon qui n'aurait jamais dû être gonflé.

Dans nos organisations, il est reconnu que tant le gestionnaire que l'employé qui se rapporte à lui directement se plaignent tous deux d'un manque de communication. Cela conduit le premier à critiquer l'autre de ne pas livrer les résultats escomptés et le second à se dire incertain de ce qu'on attend de lui. Dans les faits, les deux parties ont leur part de responsabilité[45].

Tu admettras cependant qu'il te revient, comme gestionnaire, de faire le premier geste en exposant clairement les attentes et les contraintes afférentes aux tâches de ton employé. Ce n'est qu'à cette condition que tu seras légitimé de reporter la responsabilité de la mauvaise communication sur lui ou, à tout le moins, de la partager avec lui.

Il y a différentes actions que tu peux faire pour maximiser ta propre productivité et celle de ton employé. Tu dois commencer par clarifier ses rôles et responsabilités et, ensuite, lui donner une rétroaction objective et complète concernant sa performance.

Plus explicitement :

- nature et ordonnancement des priorités :
  certains employés ont très souvent de la difficulté à distinguer l'important de l'accessoire et, conséquemment, ils sont incapables d'organiser leur travail adéquatement. Il en résulte une tendance à éteindre les feux et à butiner d'un dossier à l'autre plutôt que de planifier le travail et s'en tenir à cette planification ;

45. XAVIER, Stephen. « Clear Communication and Feedback Can Improve Manager and Employee Effectiveness », *Wiley Periodicals*, 2002.

- fermeté et logique dans la rétroaction:
  informe ton employé à propos de sa performance en adoptant des termes et des attitudes qui feront en sorte qu'il ne se sentira pas jugé ni agressé, ce qui l'amènerait inévitablement à se mettre en mode défensif, bloquant ainsi la véritable communication.

Pose-toi la question, à savoir si ce ne sont pas tes employés les plus performants que tu ignores le plus, et cela, paradoxalement parce qu'ils produisent les résultats attendus et que, souvent, ce sont eux qui travaillent le plus fort.

Quel que soit son niveau de performance, chaque employé a droit à une juste appréciation. Il a le droit de savoir ce qui va et ce qui ne va pas. Il doit être informé des mesures correctives appropriées, s'il y a lieu, et il est légitimé d'espérer se voir offrir des dossiers stimulants et correspondant à ses meilleures habiletés.

Rappelle-toi que **la rétroaction doit être constructive et livrée au bon moment**, et qu'elle ne doit pas simplement servir à laisser sortir la vapeur. Tu dois la livrer en temps opportun, qu'il s'agisse de critique ou de félicitations, de sorte que l'employé associe bien cet exercice au bon objet. Il faut s'assurer aussi que le message central qui donne lieu à une rétroaction ne sera pas noyé dans une masse d'information plus ou moins pertinente: la concision est ici une condition nécessaire à la clarté.

Je sais, pour l'avoir vécu moi-même, à quel point il est difficile de s'asseoir face à face avec un employé pour exercer cette responsabilité du gestionnaire. On craint de sa part une réaction de déni de ses lacunes, de colère devant l'injustice, et peut-être même des allusions à une certaine incompétence de soi-même comme gestionnaire.

Une telle anticipation crée une atmosphère remplie d'émotions, et force est de reconnaître que bien peu de gestionnaires savent gérer adéquatement ces situations, quelle que soit la formation qu'ils ont pu compléter sur ce thème. C'est pourquoi on observe que de nombreux gestionnaires n'osent pas critiquer leurs employés en face à face mais qu'ils vont plutôt livrer des messages indirects que l'employé peut décoder de façon erronée, ou encore ils vont éluder la difficulté en se contentant de faire les remarques par voie détournée, le courriel par exemple. L'utilisation de la technologie, dans ce cas, est nuisible car elle empêche de nuancer des propos qui, par ailleurs, exigeraient une forte dose de subtilité.

Beaucoup d'interventions faites par les dirigeants – c'est le même phénomène qui se produit dans les interventions des parents auprès de leurs enfants – sont aussi inefficaces que des sermons dans le désert. Cela se produit parce que les interventions sont faites de manière à suggérer directement la modification du comportement de l'autre, qui interprète le message dans le sens de « T'es par correct ! » Il se sent agressé et se place en mode défensif, ce qui réduit sa capacité d'écoute réelle du message qui lui est adressé et perturbe la communication.

L'approche sans agression propose une technique appelée le message **je**. Cette technique consiste essentiellement à informer l'autre de mes réactions à ce qui se passe, à ce que j'observe. Ainsi, j'indique à l'autre quel comportement me cause un problème en en faisant une description neutre, sans trace de blâme. Je l'informe aussi des effets concrets que ce comportement a sur moi et du sentiment qu'il crée en moi. Comme c'est moi qui ai un problème, j'utilise le **je** pour mettre l'accent sur moi. L'exemple qui suit montre les composantes d'un bon message :

- Comportement :
  « **Je** constate que tu es 30 minutes en retard… »
- Sentiment :
  « **Je** suis en colère… »
  (plutôt que « **Tu** me mets en colère… »)
- Effets concrets :
  « …parce que **j**'ai perdu du temps et que je ne me suis pas senti respecté. » (plutôt que « **Tu** m'as fait perdre du temps et **tu** ne m'as pas respecté. »)

Celui qui émet un message **je** assume ses sentiments négatifs en réaction au comportement de l'autre. Dans cet exemple, il accorde à l'autre le droit d'être en retard, mais il s'accorde tout autant le droit d'être en colère sans toutefois accuser l'autre d'être responsable de cette colère. De plus, comme il décrit précisément le comportement qu'il veut voir se modifier, il fournit par le fait même des pistes de changement pour améliorer la qualité de la relation.

À FAIRE ET À ÉVITER EN COMMUNICATION

- Tu auras beau connaître les rouages de la bonne communication à la perfection, n'oublie jamais **que ce que tu es parle plus fort que ce que tu dis et que les messages non verbaux constituent les deux tiers de la communication**.

- L'indiscrétion peut tuer ta réputation aux yeux de tes employés : ne fais jamais de confidences portant sur des sujets de nature personnelle qui te concernent ou qui concernent une tierce partie. Ne livre jamais à qui que ce soit un secret que t'a confié un employé : c'est la meilleure façon pour que ça se répande, et rapidement les gens sauront que tu es un « panier percé ». Ils auront tendance alors à refouler leurs problèmes et leurs préoccupations parce qu'ils ne te feront plus confiance.

- Évite l'utilisation du **tu** autant que possible. Cette façon de s'adresser à l'autre le met immédiatement sur la défensive et il commence déjà à préparer sa réplique plutôt que de t'écouter attentivement jusqu'au bout. N'oublie pas que ce n'est pas ton intention qui compte, mais plutôt ce que l'autre perçoit et comprend.

- Avant la rencontre, essaie, dans les limites de ta connaissance de l'autre, de te mettre à sa place dans la situation en cause. Demande-toi comment tu réagirais, si tu étais lui, relativement à l'intervention de ton gestionnaire. Cela te permettra de mettre les bémols pour réduire la tension intérieure qu'il peut ressentir s'il anticipe une réprimande.

- Une excellente façon de bloquer la communication, c'est de la rendre formelle : adopter un air solennel, fermer la porte et prendre place derrière ton bureau, surélevé si possible, plutôt qu'à la table de travail.

La délégation

C'est admettre la nécessité de déléguer que d'aplatir les structures et de responsabiliser davantage les employés de la base. Cela est requis pour pouvoir s'ajuster à un monde de plus en plus rapide et changeant, de plus en plus exigeant à l'égard des résultats et de l'efficacité.

Malheureusement, ce qu'on observe, ce sont des comportements contraires et même contradictoires à la délégation : nombre de dirigeants reprennent les rênes, soumettent leurs collaborateurs à des contrôles et suivis serrés, limitent leur marge de manœuvre tout en les invitant fermement à prendre des initiatives.

Il existe une visible opposition entre la nécessité de déléguer et la peur de le faire. Cette peur est souvent associée au manque de confiance des dirigeants envers leurs collaborateurs et à leur crainte de se voir déposséder de leur pouvoir.

Pourtant, la délégation est une condition indispensable à la créativité des employés. Malheureusement, beaucoup de gestionnaires n'ont pas dans leur bagage personnel cette propension naturelle à l'affrontement générateur de nouvelles idées qui va conduire à l'innovation et à la performance.

Il est impossible de valoriser une telle caractéristique individuelle dans une culture organisationnelle qui ne va dans le sens de l'innovation et du changement que par son discours et non dans ses actions. Cela ne doit pas t'empêcher, en tant que gestionnaire, de tout faire pour t'ouvrir à une nouvelle façon de penser, entre autres en développant l'humilité de reconnaître ne pas avoir l'apanage des bonnes idées. Tu dois pouvoir assumer la déstabilisation intérieure des remises en question provoquées par les opinions différentes, tu dois élaguer les contrôles tatillons qui neutralisent l'expression d'idées originales.

Tu dois reconnaître que l'échec fait partie intégrante de l'innovation et que ce n'est qu'en acceptant que ton employé fasse des erreurs que tu lui ouvriras la porte à la créativité et à l'innovation. Bien sûr, la tolérance à l'échec a ses limites imposées par l'apprentissage qui en est le fruit : un échec dont on n'apprend rien fait régresser l'organisation plutôt qu'il ne la fait progresser.

Combien d'organisations, tout en reconnaissant le principe de la valeur de l'échec dans les politiques, procédures et pratiques de l'entreprise, ont des dirigeants incapables de le reconnaître sur le plan personnel? Combien de ces dirigeants sont prêts à assumer la perte d'estime et de statut, de récompense et même de leur emploi comme conséquence d'une innovation qui s'avère être un échec?

LES OPINIONS SUR LA CRÉATIVITÉ ET L'INNOVATION

- La créativité est comme d'autres caractéristiques: ce n'est pas tout le monde qui en est capable; elle émerge d'un état d'être et non d'un effort ponctuel[46].
- Un niveau de connaissances très élevé dans un domaine précis peut bloquer la créativité par la certitude qu'il engendre chez la personne; un plus haut niveau d'incertitude laisse plus de place à la créativité, la naïveté étant parfois un atout.
- Les individus créatifs sont ouverts à l'incertitude et à l'affrontement; ils sont curieux et toujours en quête de nouveaux problèmes à résoudre.
- La peur de ce qui pourrait aller mal peut rendre les gestionnaires prudents à l'excès et bloquer l'innovation.
- Les gens créatifs, en diversifiant leurs expériences et leurs connaissances, développent l'habitude et la force morale de tout remettre en question, de se remettre eux-mêmes en question.
- La créativité n'émerge pas surtout des opérations de remue-méninges, mais plutôt de l'incubation intellectuelle d'expériences et de connaissances dans un contexte de distanciation physique, émotionnelle et intellectuelle par

46. WHITE, Sira P. *New Ideas about New Ideas – Insights on Creativity from the World Leading Innovators*, Perseus Publishing, Cambridge, MA, 2002.

rapport au contexte habituel de travail. Ce n'est qu'ainsi que de nouvelles perspectives peuvent apparaître et de nouvelles possibilités être exploitées.

- Pour être créatif, il faut avoir le temps de se concentrer sur un thème sans être interrompu, tout en ressentant une certaine pression mobilisatrice[47].
- L'échec fait partie intégrante de l'innovation et en est même un préalable[48].
- L'innovation émerge rarement d'une inspiration spontanée ; elle émerge plutôt d'une froide analyse de possibilités[49].
- L'innovation doit toujours rester simple et ciblée pour être efficace, autrement elle est source de confusion.
- L'innovation est travail plutôt que génie ; elle requiert le savoir, l'ingéniosité et la concentration.

LE PARDON

Le gestionnaire est appelé à pardonner souvent dans ses activités professionnelles du fait que le milieu de travail est un milieu de compétition. Parfois, les gestes, les attitudes ou les paroles des employés ou des patrons viennent heurter notre sensibilité et même nous blesser. Il faut comprendre que cela fait partie du jeu et que le pardon devient souvent salutaire.

« Père, pardonne-leur car ils ne savent ce qu'ils font. » Ce fut une des dernières paroles du Christ, torturé et crucifié par ses bourreaux. De même, Socrate n'avait pas d'animosité envers ses juges quand ils l'ont condamné à boire la ciguë.

47. AMABILE, T.M., C.N. HARDLEY et S.J. KRAMER. « Creativity Under the Gun », *Harvard Business Review*, août 2002.

48. FARSON, R., et R. KEYES. « The Failure Tolerant Leader », *Harvard Business Review*, août 2002.

49. DRUCKER, Peter F. « The Discipline of Innovation », *Harvard Business Review*, août 2002.

C'est bien ainsi que j'entends la base du pardon: comprendre que l'autre peut être obnubilé par ses besoins, qu'il n'est pas toujours conscient de ce qu'il fait ni de ce qui le pousse à le faire, qu'il est imparfait. Le pardon, c'est l'acceptation de l'autre dans sa différence, avec ses forces et ses faiblesses. C'est l'amour de la nature humaine dans toute sa réalité.

Toutefois, combien il m'est difficile de pardonner à un intime qui m'a fait une grande peine et qui a provoqué ainsi chez moi une profonde remise en question en faisant éclater mes valeurs les plus fortement ancrées: fidélité, loyauté, justice, amour.

Un exemple, cruel et pourtant fréquent: l'abandon d'un conjoint qui juge que sa relation ne lui apporte plus rien. Pour l'autre, c'est le choc brutal. Il baigne dans la confusion la plus totale. Il ne comprend pas. Il n'a pourtant rien fait pour que cela arrive! Rapidement, c'est la colère, exacerbée par l'impuissance, qui occupe toute la place. Rancune, ressentiment, humiliation s'il y a quelqu'un d'autre dans le décor, condamnation et représailles provoquent ensemble un tumulte émotif intense qui résulte non pas seulement du fait que l'autre a tort, mais aussi, admettons-le, du fait qu'on a été soi-même négligent sur bien des points.

Cette colère devient rage et haine. L'autre est méchant, mauvais; il devrait être puni. Et pourtant, confusion encore plus grande, les sentiments d'amour – entendus comme le besoin de l'autre contre toute attente – refont surface de temps à autre.

Une des caractéristiques qui nous distinguent des autres espèces, nous les être humains, réside dans le fait que, en toute conscience et sans raison légitime, nous nous faisons souffrir mutuellement. Nous mentons, nous trompons, nous tenons en otage, nous abandonnons, nous humilions, nous trahissons. Plus étrange encore, nous faisons habituellement ces choses non pas à nos ennemis, mais bien à nos proches.

Les guerres se terminent par des traités de paix. Les blessures intimes et profondes, elles, ne trouvent pas de règlement équivalent ; et pourtant, les gens souhaitent voir se terminer les situations, ils veulent qu'elles aient un dénouement clair. Le pardon est un mécanisme pour mettre fin à la haine, à la colère et au ressentiment qui minent la personne qui les entretient. Le processus de pardon devrait donner lieu à une transaction entre les deux parties concernées, mais ce n'est habituellement pas le cas : plus souvent qu'autrement, le pardon arrive comme résultat d'une démarche solitaire, longue et douloureuse.

Solitaire, comme cela est le cas de toute démarche intérieure. Longue, car cette démarche implique des changements personnels significatifs. Douloureuse, car le pardon est pour les personnes courageuses, celles qui veulent affronter leur douleur et qui sont prêtes à faire des choix difficiles. Les gains en seront la libération de ce sentiment destructeur et l'acquisition d'un nouveau système de croyances concernant les causes de ce qui leur arrive.

Malheureusement, nombreux sont ceux qui restent accrochés à leur ressentiment et qui continuent à haïr celui qui leur a fait du mal. Ils laissent mijoter leur poison intérieur, perpétuent le mal et contaminent leurs proches. Si je ne pardonne pas, comment puis-je ne pas haïr ? Comment puis-je échapper au désir de vengeance ou au plaisir de voir souffrir ? Comment puis-je échapper au chagrin lui-même ? Comment puis-je éviter de me détruire moi-même, car « Haïr quelqu'un, c'est comme brûler sa maison pour tuer un rat » (proverbe chinois) ?

En y pensant bien, la tolérance envers les autres, le pardon des fautes des autres, cela ne commence-t-il pas par la tolérance envers soi-même, par le pardon de ses propres fautes ? Le pardon des fautes passées et le pardon des fautes d'aujourd'hui ?

EXERCICE 6 RÉFLEXION SUR MES COMPÉTENCES

Leadership

Ai-je de la facilité à entraîner les gens à ma suite ?

Ai-je du charisme ? De quelle nature ?

Qu'est-ce qui me fait croire que j'ai du leadership ou du charisme ?

Quel est mon style de gestion ? Est-il compatible avec
les caractéristiques qui font un bon leader ?

Liberté technologique

Est-ce que je porte en permanence le téléphone cellulaire
du bureau à ma ceinture ?

Est-ce que je porte un téléavertisseur ?

Est-ce que je me sens obligé d'être constamment « on call », disponible à mes patrons ou employés même une fois revenu chez moi ?

___

___

Si je reste en « laisse électronique », est-ce par ambition ou par peur de la critique de l'autorité ?

___

___

Délégation

Est-ce que j'annonce clairement mon ouverture à la créativité dans mon équipe ?

___

___

Est-ce que je me remets aisément en question en constatant qu'un autre a de meilleures idées que moi ?

___

___

Est-ce que j'inonde mes employés de commandes tout en leur demandant d'être novateurs ?

___

___

Est-ce que je suis prêt à soutenir et à défendre mon employé s'il a pris une initiative qui a mal tourné ?

___

VOS NOTES PERSONNELLES

5 En gestion collective : préserver l'équilibre

Le respect de la personne et la façon humaine de la traiter – c'est-à-dire comme une personne et non comme une ressource – sont importants, bien sûr. Cependant, le respect doit aller plus loin et s'appliquer à prévenir chez l'employé l'apparition de malaises physiques ou psychiques qui nuiront à son bien-être et à sa productivité.

Ce chapitre traitera donc de prévention pour garder tes employés en santé, équilibrés et productifs. Six secteurs d'intervention me sont apparus importants. Pour les trois premiers, tu me diras peut-être que tu en as entendu parler à satiété, mais je crois que les actions qui ont été réalisées à ce jour en ces domaines sont insuffisantes et pas toujours orientées dans la bonne direction.

Les trois derniers thèmes sont plus nouveaux dans nos organisations et ils relèvent de phénomènes dont le caractère psychosocial est particulier à ce début du XXIe siècle.

Le changement

Le stress

L'anxiété et la dépression

Le harcèlement

Les nouveaux employés

Les employés expérimentés

LE CHANGEMENT

La question de la gestion du changement n'est pas nouvelle : depuis le début du XXe siècle, le rythme d'apparition des changements et leur ampleur n'ont pas cessé de progresser. De plus, les changements ont eux-mêmes changé, et c'est pourquoi certains parlent aujourd'hui de gérer la turbulence[50] provoquée par le tourbillon des changements.

L'une des choses nouvelles, c'est l'origine du changement : d'endogène, il est devenu exogène ; auparavant animé de forces internes, il est maintenant alimenté par l'environnement externe à l'organisation. De plus en plus, la mondialisation et les innovations technologiques bousculent les entreprises et même les nations.

La problématique est complexe : les changements sont multiples, ils ne vont pas nécessairement tous dans la même direction, ils rendent caduques nos façons de faire et ils se succèdent à un rythme qui empêche toute adaptation à long terme. La douce homéostasie n'est plus qu'un rêve qu'on n'ose même pas caresser. Et qui se trouve au cœur de cette tourmente ? Toi, le gestionnaire, bien sûr. On te demande de planifier l'avenir alors que tu as peine à survivre à la turbulence.

Cela est vrai sur le plan organisationnel, mais c'est aussi vrai sur le plan individuel : la vie tourne de plus en plus vite, et le changement est tout aussi omniprésent dans nos vies personnelles. Or les humains, comme les animaux, ont besoin d'un temps d'adaptation parce que celle-ci ne se fait pas automatiquement.

Le neurobiologiste et psychiatre André Bourguignon[51] donne une piste intéressante : « La capacité d'adaptation dépend (aussi) de la qualité et de la densité des relations sociales. Plus celles-ci sont rares et plus la morbidité et la mortalité sont élevées. »

50. COLLERETTE, Pierre, Robert SCHNEIDER et Paul LEGRIS. « La gestion du changement organisationnel. Première partie : gérer la turbulence », *ISO Management Systems*, octobre 2001.

51. BOURGUIGNON, André. *L'homme fou*, Paris, Presses Universitaires de France, 1994.

Comment peux-tu, en tant que gestionnaire habilité et payé pour ce faire, être un facilitateur de l'adaptation et du passage à travers les phases ou états psychologiques que doit traverser ton employé? Peux-tu et dois-tu engager tes employés dans les mesures d'adaptation? Comment dois-tu intervenir auprès d'une personne incapable de s'adapter au changement?

Au lieu d'accepter béatement que tes employés participent à de sérieuses mais peu utiles sessions de formation portant sur l'adaptation au changement organisées par ta direction des ressources humaines – le facile transfert du singe sur son épaule*, dirais-je – ne devrais-tu pas y mettre un peu du tien et instaurer des mesures concertées visant à permettre à tous de trouver plaisir, intérêt, satisfaction et bien-être dans leur travail?

J'entends déjà les grognements de certains gestionnaires purs et durs, qui sont d'avis que le bureau n'est pas une maternelle. Ils ont raison, le bureau n'est pas la petite école. Je rétorquerai cependant qu'ils devraient peut-être se pencher sur les méthodes utilisées en maternelle pour intéresser et stimuler les enfants en présentant des activités auxquelles ils peuvent trouver plaisir et qui favorisent leur développement optimal. Bien sûr, cela demande un effort de réflexion et comporte un risque (certains le voient venir dès ces premiers mots) d'abus, de la part de certains employés, de la «bonté» de leur patron.

Quand un changement majeur doit être instauré dans ton organisation, tu dois prévoir pour ton équipe un mécanisme d'accompagnement tout au long du processus de transition que doivent vivre tes employés.

* Si j'ai un singe sur mon épaule et que je m'approche tout près de toi, il est possible qu'il saute sur la tienne. La métaphore du «transfert du singe sur l'épaule» signifie ici que je peux t'entretenir d'un problème qui me cause du souci, et te le présenter de façon à t'inciter à le prendre en charge et ainsi m'en débarrasser.

Au départ, il faut que la haute direction s'engage personnellement et descende au niveau plancher pour ouvrir la porte à des échanges formels et informels entre les employés et les patrons. Les employés doivent avoir la possibilité de poser des questions, parfois dérangeantes mais toujours utiles. Quelle que soit la réponse, les employés auront le sentiment d'être respectés si la direction les informe honnêtement des changements à venir.

On peut observer chez soi-même, mais surtout chez les autres, qu'en l'absence d'information juste et réaliste la tendance spontanée et naturelle consiste à tenter d'imaginer la suite. En présence d'un changement organisationnel, une bonne partie des employés, plus portés à l'anxiété, vont imaginer le pire. Ils vont en parler et en reparler entre eux et avec les collègues pour, au-delà de la simple curiosité, tenter de soulager leur angoisse devant l'inconnu.

Toi, le gestionnaire de premier ou de deuxième niveau, il t'appartient d'intervenir comme agent facilitateur de la mise en œuvre du changement. Si tu résistes personnellement au changement proposé, si tu t'y opposes, exprime-le sobrement à tes employés sans essayer de leur faire avaler des couleuvres. Cela dit, sois solidaire de la haute direction. Si tu n'es pas capable de surmonter tes réticences, aie au moins la dignité de changer de poste !

Tu dois être authentique dans cette situation de changement en exposant honnêtement les motifs sous-jacents, et cela en t'exprimant dans un langage accessible à tous. À éviter à tout prix : le langage hermétique des technologues et technocrates de tout acabit dont le vocabulaire comprend plus de sigles et d'acronymes que de vrais mots.

Tu dois aussi permettre à tes employés de faire état des pertes qu'ils anticipent et d'exprimer leurs craintes relativement à ces pertes. Cela peut se faire en groupe ou sur une base individuelle, l'important étant de te rendre disponible et prêt à soutenir tes employés et que ces attitudes soient visibles pour eux.

◆ ◆ ◆

Ne laisse surtout pas les rumeurs et les propos négatifs non fondés se répandre, quelles qu'en soient les sources. Devance-les et neutralise-les le plus rapidement possible avant qu'ils ne fassent trop de dégâts.

Assure-toi aussi d'une rétroaction à tous les niveaux: au-dessus de toi et en dessous de toi dans la hiérarchie. Et quand tu donnes une rétroaction, adresse-la à la bonne personne, au bon moment et de la bonne façon.

Le problème de l'adaptation au changement est souvent envisagé en termes de développement des compétences techniques ou sociales et de changement des attitudes devant l'évolution technologique et culturelle du travail.

Une façon plus humaine d'aborder le problème consiste à rechercher l'arrimage entre les caractéristiques des individus et celles de l'environnement de travail en instaurant un mécanisme de mouvement perpétuel de rétroaction entre les deux. Forcément, les unes influent sur les autres et toutes se modifient graduellement pour s'ajuster les unes aux autres au fil des expériences vécues.

Le changement s'effectue ainsi en tant que processus interactif et évolutif constant plutôt qu'en une suite d'ajustements discrets entre l'employé et son environnement.

À FAIRE ET À ÉVITER EN CAS DE CHANGEMENT

- **À faire** : transformer nos modèles mentaux, c'est-à-dire chasser le réflexe de protéger les employés contre les technologies qui leur sont destinées. Les technologies ne sont pas forcément mauvaises; elles peuvent même devenir des occasions de développement professionnel.

- **À faire**: permettre aux employés de s'exprimer dans un cadre relativement souple quant au lieu et au temps et les écouter vraiment en tenant compte de leurs opinions.
- **À éviter** dans ce cas: les laisser s'exprimer et rester complètement indifférent à ce qu'ils disent. Ce ne sont pas des imbéciles; ils savent très bien détecter la manipulation.

- **À éviter**: tenter de dénigrer les anciennes façons de faire dans un effort futile pour vendre les nouvelles; encore ici, ils voient très bien venir le train et, même s'ils voient les avantages du changement, ils vont tenter de mettre en évidence la supériorité de l'ancien système par souci de se protéger.

- **À faire**: leur faire prendre conscience des gains potentiels qu'ils peuvent envisager à faire l'apprentissage de nouvelles façons de travailler.

- **À faire**: déterminer ce qui est contrôlable dans l'apparition du changement et mettre l'accent là-dessus. En corollaire, savoir lâcher prise sur ce qui est indépendant de la volonté de l'unité.

- **À faire**: adopter la perspective selon laquelle il doit se produire un mouvement perpétuel de rétroaction entre les caractéristiques de l'individu et celles de son environnement de travail, qui se modifient et s'ajustent les unes aux autres au fil des expériences vécues. C'est la même chose pour l'unité dans son ensemble.

- **À éviter**: croire et surtout tenter d'imposer cette croyance selon laquelle les personnes vont finir par s'adapter en misant sur la capacité – réelle par ailleurs – de l'être humain de s'adapter à toutes les situations. Le milieu de travail n'est pas un environnement de survie pour l'employé et il est protégé de toutes parts, contrairement à son ancêtre Cro-Magnon pour qui c'était effectivement une question de survie. Cette confortable protection incite à préserver le *statu quo* et à résister au changement.

Le stress

Hans Selye[52] serait probablement ravi de constater l'actualité du terme qu'il a adopté il y a une cinquantaine d'années pour désigner l'état pathologique résultant de l'incapacité de l'organisme à s'adapter adéquatement à ce qu'il perçoit comme des agressions provenant de son environnement.

Il semble bien que les centaines de sessions de formation et de conférences portant sur la gestion du stress qui ont été offertes – et qui le sont encore, d'ailleurs, dans toutes les organisations – n'ont pas amélioré la situation. Malgré les sévères avertissements des spécialistes du domaine et malgré le constat de la progression du nombre d'absences causées par le stress en milieu de travail, force est de reconnaître que le phénomène prend de l'ampleur et va en s'aggravant.

Différentes publications[53] ont fait récemment état de données troublantes: dans l'Union européenne, le stress est le trouble le plus fréquent après les douleurs dorsales, affectant 28% des employés en 2000, soit 41,2 millions de personnes; certaines données montrent que 30% des problèmes de santé mentale sont directement attribuables au travail; un sondage récent pour Aventis Pharma indique que 49% des Québécois disent souffrir d'un stress élevé au travail; à tout moment, 20% des travailleurs anglais disent être exposés à un très haut niveau de stress relié au travail.

Les études qui ont conduit à ces diverses publications ne font que confirmer les données gouvernementales publiées par le Centre canadien de gestion[54]: le pourcentage de personnes disant subir un haut niveau de stress est passé de 20% à 33% au cours de la décennie 1990-2000. Durant à peu près la même période, la proportion d'absences pour troubles de santé mentale est passée de moins de 20% à 37%. Parallèlement, au gouvernement du Québec[55], l'indice d'utilisation des services d'aide aux employés pour l'année 1999 a connu une progression de 67% relativement à l'indice de 1994.

---

52. SELYE, Hans. «Stress sans détresse», Les Éditions La Presse, Ottawa, 1974.

53. *Le Devoir*, 3 juillet 2002 ; *Affaires Plus*, juillet 2002 ; *Works Management*, juillet 2002.

54. Voir référence n° 14.

55. SECRÉTARIAT DU CONSEIL DU TRÉSOR. *Les indicateurs de gestion en santé et sécurité du travail*, Québec, 2000.

Les gestionnaires des plus hauts niveaux, ceux qui peuvent imposer un changement de cap, ne peuvent ignorer ces faits ainsi que leurs conséquences sur la mobilisation des personnes et, partant, sur la productivité de leur organisation.

Une raison bien identifiable à cet état de fait réside dans le fameux « faire plus avec moins » qui a constitué la quintessence des discours de dirigeants en mal de changement – on parlait il n'y a pas si longtemps de qualité totale ou de modernisation, aujourd'hui on parle de « réingénierie » ou de réforme – qui se présentaient hardiment sur toutes les tribunes qu'on leur présentait.

Un tel discours conduit inexorablement à une injonction paradoxale du type : Travaille plus vite mais accorde tout le temps voulu à chaque client. C'est la double contrainte : quoi que je fasse, je me place en situation d'être critiqué. Plutôt stressant, n'est-ce pas ?

Il faut bien comprendre que le stress issu d'une réaction à une pression excessive ou à une surcharge de travail résulte en une pression intérieure qui vous écrase et vous rend malheureux ; il est destructif. C'est bien différent d'être soumis à une pression qui vous procure stimulation et plaisir et qui résulte en un travail intense et agréable. Quand une personne s'absente pour cause de maladie attribuable au stress, cela produit un effet multiplicateur de stress dans l'organisation du fait que les collègues doivent assumer sa charge de travail et en subir eux-mêmes un stress supplémentaire.

◆ ◆ ◆

Des études démontrent que la variable principale déterminant les effets sur la santé et le niveau de satisfaction d'un employé par rapport à son milieu de travail est le degré de contrôle qu'il possède sur son travail ou, en d'autres termes, sa latitude décisionnelle.

Les auteurs[56, 57] de ces études vont même plus loin en affirmant que le manque de maîtrise des individus sur leur travail a un lien plus fort avec les niveaux de détresse, les problèmes de santé à court terme et les maladies à long terme que les autres facteurs, dont les habitudes personnelles du mode de vie.

La croissance marquée des absences à moyen terme et à long terme pour cause de maladie de nature psychologique exige qu'on se penche sur les causes de cet état de fait et qu'on mette en place des mesures de prévention qui se situent sur trois plans.

La prévention primaire vise à modifier ou à éliminer les facteurs de risque présents en mettant l'accent sur l'organisation et l'environnement de travail. Elle appartient à l'organisation et au gestionnaire par la création d'un climat favorable et une ouverture à la communication. Elle consiste, à partir des causes identifiées, à adopter les mesures de gestion qui vont permettre d'éradiquer les racines mêmes du problème. Cela exige la mise en place de nouvelles pratiques de gestion et, partant, d'une nouvelle culture organisationnelle de gestion axée au premier chef sur la personne.

La prévention secondaire, le dépistage précoce, intervient par le biais de la détection des indices annonçant un malaise grave chez un employé. Le dépistage se fait par la mise en place de mécanismes qui vont favoriser la vigilance de tous et l'intervention dès la détection d'un cas problématique. Sur un plan plus individuel, elle vise à aider les individus à développer des habiletés et des outils pour reconnaître et gérer leurs réactions lors des situations qui engendrent des tensions. Le lecteur intéressé à connaître plus à fond ce phénomène et à disposer des outils pour l'aider à gérer son stress pourra consulter l'ouvrage[58] mentionné en référence au bas de cette page.

---

56. SHIMAZU, A., et S. KOSUGI. « Job stressors, coping and psychological distress among japanese employees : interplay between active and non-active coping », *Work and Stress*, vol. 17, n° 1, janvier-mars 2003.

57. Voir référence n° 14.

58. RENAUD, Jacqueline. *Guide anti-stress*, Alleur (Belgique), Marabout, 1990.

La prévention tertiaire, c'est le curatif. Le mal est fait et on traite la personne déjà affectée. Historiquement, dans toutes les organisations, on a travaillé beaucoup sur la prévention tertiaire car elle est la plus facile pour les dirigeants et les gestionnaires: on passe le singe sur l'épaule du médecin ou du psychologue.

Il est reconnu que la prévention primaire est la plus efficace. Cela signifie informer employés et gestionnaires à propos des dangers de la surcharge de stress, des causes les plus fréquentes d'une telle surcharge et de l'application de mesures préventives adaptées.

Mes années d'intervention en programmes d'aide aux employés confirment que ce n'est pas la surcharge de travail qui est principalement en cause, mais bien les difficultés sur le plan des relations interpersonnelles, et cela aussi bien entre collègues qu'entre patrons et employés.

Or, les relations interpersonnelles problématiques sont bien souvent provoquées par la confusion dans les rôles, dans les mandats respectifs et surtout par le manque de stabilité dans les orientations des organisations. L'incertitude engendre un état d'anxiété qui se transpose dans la réalité par l'irritabilité, l'intolérance, les conflits... et le stress.

On l'a mentionné, de plus en plus d'employés présentent un niveau élevé de détresse psychologique. Les principaux facteurs de risque sont: la surcharge de travail, comme cela a déjà été mentionné, mais aussi le peu de reconnaissance de l'entourage, la pauvreté des relations avec le supérieur, la faible participation aux décisions et le manque de circulation de l'information.

Même si les approches de prévention centrées sur les individus (secondaire et tertiaire) sont utiles et nécessaires, elles ne modifient pas l'organisation du travail puisqu'elles ciblent les conséquences plutôt que les sources du problème ; en ce sens, leurs effets sont généralement limités et de courte durée. Ces stratégies centrées sur l'individu ne suffisent plus pour favoriser et maintenir la santé mentale des employés dans le contexte actuel du travail, étant établi que les problèmes sont souvent associés à l'organisation du travail. Il est donc suggéré d'intervenir sur les causes engendrant les problèmes de santé mentale, de changer l'environnement qui rend malade.

Les pratiques de gestion propices à la prévention en santé mentale sont connues, et il est probablement inutile de chercher à implanter de nouveaux programmes ou de nouvelles pratiques ; il suffit d'avoir une réelle volonté de les ramener au premier plan.

Malheureusement, beaucoup de gestionnaires croient encore que les employés qui ne peuvent supporter la pression devraient s'en aller. Ils sont convaincus, malgré les nombreuses recherches qui affirment le contraire, que les états pathologiques reliés au stress ne sont qu'une façon élégante de masquer une faiblesse innée ou une inaptitude à faire le travail.

Il existe de nombreux tests permettant d'évaluer le niveau de stress chez un individu et de détecter de quelle sorte de stress il s'agit de par son origine : de performance, de menace, d'ennui, de frustration ou physique. Le responsable du programme d'aide aux employés de ton organisation est en mesure de t'aider à faire une évaluation sur le plan individuel et sur le plan collectif.

EXERCICE 7 ÉVALUATION DU STRESS DANS TON ÉQUIPE

Est-ce que tu sens un niveau anormalement élevé d'irritabilité et d'animosité parmi les employés de ton unité ?

____

____

____

Est-ce que tes employés se plaignent ouvertement d'être stressés outre mesure ?

____

____

____

Est-ce que tes employés se disent surchargés de travail ?

____

____

____

Le taux d'absentéisme a-t-il augmenté ces derniers mois ? Ces dernières années ?

____

____

____

Est-ce que tu peux observer une baisse du rendement global de ton unité ? Chez des individus en particulier ?

____

____

____

____

Est-ce que tu **écoutes** tes employés et est-ce que tu tiens vraiment compte de leurs plaintes ? Ou bien te contentes-tu de les **entendre** pour acheter la paix en te disant que cela va passer comme tout le reste ?

Connais-tu les symptômes annonciateurs d'un niveau élevé de stress chez une personne ?

Es-tu ouvert à la participation de tes employés à des sessions de formation portant sur la gestion du stress ?

UNE APPROCHE À LA PRÉVENTION DU STRESS SUR LE PLAN INDIVIDUEL

Pour une information plus complète, je recommande de consulter le guide anti-stress mentionné en référence numéro 58 dans la section qui précède ce tableau. Quoi qu'il en soit, les éléments suivants doivent toujours être surveillés :

- le sommeil ;
- l'alimentation ;
- l'exercice physique ;
- la détente.

Je voudrais cependant insister ici sur le volet mental, soit les pensées irrationnelles qu'on entretient et qui engendrent elles-mêmes un stress important. Voici quelques exemples :

- J'ai besoin que tout le monde m'aime.
- Je dois être le meilleur.
- Je n'ai pas le choix, je dois réussir.
- J'aurais donc dû intervenir.
- Pauvre lui ! il faut bien que je l'aide !
- Il n'est pas correct d'avoir agi ainsi.

Et ainsi de suite. À éviter surtout les pensées qui contiennent des « je dois » et des « il faut », car ce sont les plus nocives.

L'ANXIÉTÉ ET LA DÉPRESSION

Le changement et le stress qui font l'objet des sections précédentes sont deux problématiques qui sont la plupart du temps à l'origine des troubles d'anxiété et de dépression. Il est important de traiter de ces troubles qui sont à la fois symptômes et maladies à part entière. L'anxiété et la dépression combinées affectent à tout moment près de la moitié des personnes et, pour une bonne partie de celles-ci, le fonctionnement normal est perturbé.

Il arrive que l'anxiété et la dépression soient de nature endogène, c'est-à-dire que la personne est biologiquement prédisposée à développer l'une ou l'autre de ces maladies. Les découvertes des dernières décennies en matière de génétique et de neurologie ont permis de cerner certains dérèglements cérébraux d'ordre cellulaire ou biochimique. On peut aussi déceler l'origine génétique de ces troubles à l'observation : il y a des familles d'anxieux et il y a des familles dans lesquelles la plupart des membres auront au moins un épisode dépressif au cours de leur vie. Le trouble bipolaire, anciennement appelé psychose maniaco-dépressive, en est un qui a de fortes assises héréditaires.

Le but de cette section consiste à bien mettre en évidence les symptômes de l'anxiété et de la dépression de manière à fournir des pistes à l'observateur extérieur, en particulier au gestionnaire qui doit jouer un rôle important en prévention dans son unité. Pour un œil averti, il est facile de détecter une bonne partie de ces symptômes et donc d'intervenir tôt dans le processus de développement de l'état pathologique.

L'ANXIÉTÉ

Il a été question de ce phénomène sous ses manifestations existentielles au chapitre 3 de cet ouvrage ; je ne reviendrai donc pas ici sur ce qui a déjà été dit quant à ses origines et à sa nature. Le lecteur intéressé à approfondir le sujet de l'anxiété est aussi invité à consulter l'excellent ouvrage fort bien vulgarisé des docteurs Albert et Chneiweiss[59].

59. Voir référence n° 25.

Selon le *Manuel diagnostique et statistique des troubles mentaux*[60, 61], l'anxiété est un état de crainte diffuse caractérisé par l'inquiétude, le pessimisme ou l'anticipation du pire et l'irritabilité. À cet état psychique se greffent parfois des malaises physiques tels des difficultés digestives ou des maux de tête. On parlera alors d'angoisse, quoique les deux termes anxiété et angoisse sont utilisés indifféremment aujourd'hui pour désigner le phénomène avec ses caractéristiques psychiques et physiques.

Une autre distinction importante, celle-ci par rapport à la peur. L'anxiété n'est pas la peur, bien qu'elle s'en rapproche considérablement. La différence fondamentale réside dans le fait que la peur est une réaction à un danger bien réel que présente l'environnement. Par exemple, je me trouve face à face avec un ours en plein bois, seul et sans armes ; j'ai une crainte bien précise, celle de me faire blesser ou tuer par l'ours. J'ai alors le choix de faire face, de faire le mort ou de fuir. La décharge d'adrénaline qui se produit alors dans mon organisme m'aidera à bien exécuter les actions que je choisirai. C'est une réaction de survie. Dans l'anxiété, par contre, il arrive que je ne puisse agir car la source de mon inquiétude est souvent floue et m'empêche de voir clairement ce que de dois combattre.

L'anxiété excessive peut conduire à différentes pathologies connues telles l'anxiété généralisée, les phobies et les attaques de panique.

L'anxiété généralisée correspond à la persistance (au moins un mois), à un certain niveau d'intensité, des symptômes d'anxiété qui se regroupent sous quatre catégories : la tension motrice, les troubles neurovégétatifs, l'attente craintive et l'hypervigilance. Ces catégories sont regroupées en symptômes physiques et en symptômes psychiques dans le tableau 2 à la fin de cette section.

La personne qui souffre d'anxiété chronique généralisée est en mesure de vaquer à ses occupations quotidiennes, mais son rendement est handicapé jusqu'à un certain point par l'investissement d'une partie de

60. AMERICAN PSYCHIATRIC ASSOCIATION. *DSM III : Manuel diagnostique et statistique des troubles mentaux*, Paris, Éditions Masson, 1986.

61. AMERICAN PSYCHIATRIC ASSOCIATION. *DSM IV : Diagnostic and Statistical Manual of Mental Disorders*, APA, Washington, 1994.

ses énergies en ruminations et pensées irrationnelles; ces dernières entravent l'efficacité de son action en rendant difficile la lecture exacte et précise des évènements. C'est ainsi qu'elle démontre souvent un comportement inadapté qui semble plutôt de nature à la faire souffrir éventuellement, prix à payer pour le mieux-être psychique obtenu dans l'immédiat.

La personne anxieuse se montre hypersensible dans ses relations interpersonnelles; elle a de la difficulté à établir et à maintenir de bonnes relations. Bien souvent, elle se sent déprimée et incapable d'être à la hauteur. Elle a de la difficulté à prendre des décisions et, lorsque c'est fait, elle s'interroge continuellement sur les erreurs possibles et les désastres auxquels cette décision peut mener.

De tels comportements confirment les premières impressions des autres selon lesquelles cette personne est égocentrique et incapable de porter attention à leurs besoins. Elle fait souvent preuve d'inflexibilité et d'un maniérisme exagéré. On peut donc comprendre qu'un groupe qui inclut plusieurs personnes anxieuses aura de la difficulté à fonctionner efficacement, quelle que soit l'importance de l'enjeu ou du sujet débattu.

Les phobies font aussi partie de la grande catégorie des troubles d'anxiété. Elles consistent en une crainte persistante et irrationnelle portant sur un objet, une activité ou une situation spécifique, qui se traduit par un désir très grand d'éviter l'objet, l'activité ou la situation redoutés. La personne reconnaît que sa peur est excessive ou irrationnelle par rapport à la dangerosité réelle de l'objet, de l'activité ou de la situation en question.

L'évitement irrationnel d'objets, d'activités ou de situations n'ayant que des conséquences accessoires sur la vie du sujet est fréquent. Par exemple, beaucoup d'individus éprouvent une peur irrationnelle modérée devant un contact avec des araignées ou des insectes non dangereux, mais cela n'a pas de conséquences majeures sur leur vie. Par contre, lorsque la conduite d'évitement ou la peur devient une source importante de détresse, ou quand elle interfère avec le fonctionnement social ou professionnel de la personne – telle la phobie sociale – cela devient plus grave.

Enfin, les états de panique se manifestent par l'apparition brutale d'une appréhension, d'une crainte ou d'une terreur intense, souvent associée à des sentiments de catastrophe imminente, à la crainte de devenir fou, de ne plus contrôler son corps ni ses pensées.

Les symptômes se présentent de façon particulièrement violente : dyspnée, palpitations, douleurs ou gêne thoraciques, sensation d'étouffement ou d'étranglement, vertiges, etc. Les attaques durent habituellement quelques minutes, plus rarement quelques heures.

TABLEAU 2 **L'ANXIÉTÉ ET SES SYMPTÔMES**

Symptômes physiques

- Soupir ou grande respiration
- Sensation d'oppression à la poitrine
- Boule dans la gorge
- Douleur au plexus solaire
- Papillons à l'estomac
- Tremblements ou gestes maladroits
- Transpiration anormale
- Mains froides ou mains moites
- Perturbations gastro-intestinales
- Sécheresse de la bouche

Symptômes psychiques

- Ruminations / pensées obsédantes
- Troubles du sommeil
- Difficulté de concentration
- Distractivité
- Irritabilité
- Sentiment de méfiance
- Distorsions cognitives

LA DÉPRESSION

Selon le *Manuel diagnostique et statistique des troubles mentaux* (DSM), il s'agit d'un état pathologique qui se traduit par une humeur dysphorique ou une perte d'intérêt pour toutes ou presque toutes les activités usuelles et les passe-temps. L'humeur dysphorique est caractérisée par des symptômes tels que les suivants: déprimé, triste, cafardeux, sans espoir, au bout du rouleau, irritable. Le trouble de l'humeur doit être évident et relativement persistant. Les symptômes spécifiques habituels sont présentés à la page suivante. Je recommande l'ouvrage cité en référence[62] au lecteur qui veut en savoir plus.

Être déprimé, c'est vivre dans un état de paralysie émotionnelle, c'est ne rien oser, c'est se figer. La souffrance qui en découle est bien réelle, tout aussi réelle que la douleur physique. Comme elle, elle mobilise complètement l'attention de l'individu. La dépression est une maladie qui a des répercussions majeures du fait qu'elle affecte toutes les activités et qu'elle est toujours présente.

Il existe un autre point commun entre toutes les personnes dépressives: un sentiment de perte qui émerge du lot de raisons évoquées pour expliquer l'apparition de la dépression. Chez certains, ce sera la perte d'un lien affectif, alors que chez d'autres ce sera plutôt la difficulté de réussir, de faire sa place au soleil.

La dépression peut trouver sa source dans divers facteurs de causalité.

Elle peut être réactionnelle à la suite d'un évènement grave comme la perte par accident d'un être très cher, conjoint ou enfant, ou tout autre évènement suffisant pour ébranler la structure psychologique de la personne.

Elle peut être de nature psychotique dans le sens que la personne est malade psychologiquement et n'est plus capable d'affronter la réalité quotidienne. À la limite, la personne se réfugie dans la dépression pour fuir cette réalité.

62. LÔO, Henri, et Henry CUCHE. *Je suis déprimé mais je me soigne*, Paris, Éditions J'AI LU, 1991.

La dépression peut aussi être engendrée par l'épuisement physique qui peut avoir pour effet de modifier sensiblement la chimie du cerveau. Dans sa tâche de maintien de l'homéostasie de l'organisme, celui-ci va provoquer un ralentissement de l'activité de certains neurones; ce ralentissement va engendrer à son tour une sensation de baisse d'énergie qui force en quelque sorte l'individu à ralentir son rythme et à se reposer. Le cerveau ajuste de cette façon le comportement de la personne, à son insu, pour la protéger d'elle-même en l'amenant à un état apathique.

Enfin, l'alcoolisme peut aussi provoquer des changements importants sur le plan biochimique dans le cerveau. De même en est-il de l'accouchement suivi de la fameuse dépression *post-partum* bien connue aujourd'hui.

Le dépressif ressent un grand besoin de chaleur humaine, même si ses attitudes sont souvent le rejet et l'isolement. Il est important de ne pas hésiter à s'en approcher tout en respectant les distances qu'il veut bien mettre entre lui et les autres. De cette façon, il aura le sentiment qu'on le considère normal. En effet, dans bien des cas, il se sent rejeté car les gens n'osent pas affronter le malaise qui les tenaille de ne pas trop savoir quoi dire. Autrement dit, on doit éviter de faire en sorte qu'il se sente anormal.

La dépression et ses symptômes

- Altération spécifique de l'humeur se traduisant par une tristesse profonde et inconsolable.
- Recherche de solitude et d'isolement.
- Sensation de fatigue extrême conduisant à l'apathie.
- Image de soi négative accompagnée de reproches et de blâmes retournés contre soi.
- Désirs de régression et d'autopunition : désirs de fuir, de se cacher, de mourir.

- Changements végétatifs: anorexie, insomnie, perte d'appétit sexuel.
- Changements dans le niveau d'activité: ralentissement ou, plus rarement, agitation.
- Difficulté à se concentrer.
- Incapacité de prendre des décisions, même les plus simples.
- Angoisse persistante.
- Perte d'espoir, car incapacité de voir la lumière au bout du tunnel.
- Hallucinations dans les cas les plus graves.
- Distorsions cognitives (mêmes que pour l'anxiété).

LA DIFFÉRENCE ENTRE L'ANXIÉTÉ ET LA DÉPRESSION

- L'anxieux est inquiet de ce qui peut arriver alors que le dépressif est triste de ce qui est arrivé.
- L'anxieux est actif; il a la bougeotte alors que le dépressif est amorphe, inerte.
- L'anxieux a des pensées qui se bousculent alors que le dépressif a le cerveau au ralenti.
- L'anxieux se sent menacé alors que le dépressif se sent coupable.
- L'anxieux est intolérant et irritable; il agresse alors que le dépressif est écrasé: il fuit.

LE HARCÈLEMENT

Le harcèlement en milieu de travail peut prendre différents visages. Il peut être fondé sur des caractéristiques physiques ou psychologiques, le sexe, la race, la religion. Il se manifeste souvent par la répétitivité des attaques avec intention de faire du mal. Je vais traiter ici du harcèlement moral qui est, selon moi, le plus répandu dans nos milieux de travail.

Il faut savoir que collègues autant que gestionnaires peuvent être agresseurs ainsi que victimes de harcèlement moral en milieu de travail. Cependant, le processus peut être encore plus cruel et destructeur si les deux personnes concernées sont collègues parce que la fréquence des contacts entre l'agresseur et la victime est potentiellement plus grande.

Marie-France Hirigoyen[63,64] définit le harcèlement moral au travail comme toute conduite abusive (geste, parole, comportement, attitude) qui porte atteinte, par sa répétition ou sa systématisation, à la dignité ou à l'intégrité psychique ou physique d'une personne. Une enquête qu'elle a effectuée sur le sujet révèle que 9 victimes sur 10 ont plus de 35 ans, que 2 sur 3 ont plus de 46 ans et que 7 sur 10 sont des femmes. La discrimination basée sur le sexe, la race ou la religion est une source fréquente de harcèlement.

À la base du harcèlement moral on trouve une intention malveillante. Les agissements des agresseurs sont de nature hostile, et cette hostilité peut se porter sur les conditions de travail ou la personnalité de l'individu. Elle pourra s'exprimer par la moquerie ou le mépris, par la violence verbale ou psychologique (l'isolement), la violence physique ou sexuelle.

Les procédés sont subtils, le mépris transpire des gestes et des paroles, les agressions sont répétitives, ininterrompues et portent sur une longue période. L'agresseur évite la communication directe, déforme le langage, utilise le paradoxe et ne ressent aucune culpabilité.

---

63. HIRIGOYEN, M.-F. *Malaise dans le travail ; harcèlement moral, démêler le vrai du faux*, Paris, Éditions Syros, 2001.

64. HIRIGOYEN, M.-F. *Le harcèlement moral : la violence perverse au quotidien*, Paris, Éditions Syros, 1998.

Une des façons les plus cruelles de harceler quelqu'un consiste à l'ignorer complètement. Est-ce que chacun n'a pas vécu, à un moment donné, l'indifférence totale d'un ou d'une collègue de travail qu'il côtoyait plusieurs fois par jour alors que l'autre, en le croisant, gardait son regard fixé droit devant, le visage fermé, indiquant par son non-verbal le refus du contact, ne serait-ce que du regard ? Même entouré de dizaines de personnes qui vous aiment bien et vous reconnaissent tous les jours, l'indifférence d'une seule d'entre elles peut affecter énormément au point d'amener des questionnements du genre : « Qu'est-ce que je lui ai fait ?, Suis-je si repoussant ? Pourquoi ne m'aime-t-elle pas ? »

Ce qui domine chez les victimes, c'est le sentiment d'avoir été maltraitées, méprisées, humiliées, rejetées, alors que les agresseurs démontrent une intention de faire du mal, d'exercer une violence qu'on qualifie de perverse pour cette raison. Dans nos milieux, on utilise plus souvent l'appellation « violence psychologique » pour désigner sensiblement la même chose.

Le harcèlement moral est une violence à petites touches, tout aussi destructrice que difficile à repérer. Il commence souvent par le refus d'une différence qui peut prendre toutes les formes imaginables ; ce refus peut s'appuyer sur des sentiments d'envie et de jalousie ou encore sur une rivalité pathologique.

La peur peut aussi être le moteur du harcèlement moral : peur de perdre son emploi, peur de ne pas performer à la hauteur demandée, qui conduit alors à agresser l'autre, collègue ou gestionnaire, pour se protéger du danger perçu, qu'il soit réel ou imaginaire. C'est l'attaque préventive. En harcelant une personne, ce n'est pas ce qu'elle fait qu'on vise, mais plutôt elle-même, personnellement, dans une volonté consciente de lui nuire. Le but est de dominer l'autre.

Pour cela, on commence par casser l'autre en s'attaquant à ses points faibles. On cherche à l'acculer en lui reprochant des choses intimes qu'elle ne pourra changer et, plutôt que de lui faire des reproches précis, on l'attaque de façon globale de sorte qu'elle ne puisse véritablement agir sur ce qu'on lui reproche.

Au travail, un employé surchargé qui subit une forte pression de la part de son gestionnaire pour augmenter sa productivité, et ce, sans qu'on lui fournisse les outils adéquats, peut se sentir harcelé. Bien sûr, il subit alors un stress important, mais il n'y a pas de harcèlement moral si le gestionnaire n'a pas l'intention de faire du mal à cet employé en particulier. **Le harcèlement moral apparaît lorsque le refus de communication est manifeste et humiliant, lorsque les critiques portant sur le travail deviennent méchantes et que les attitudes et les paroles deviennent injurieuses.**

Côté prévention, il y a un préalable qui doit d'abord être présent: la prise de conscience à tous les niveaux de la hiérarchie de la réalité et de la gravité du problème de harcèlement en milieu de travail.

En prévention primaire, des études doivent être réalisées pour cerner les différentes dimensions du harcèlement avant que des politiques, pratiques et codes de conduite puissent être élaborés et diffusés au sein de l'entreprise.

En prévention secondaire, on instaurera des pratiques de détection des incidents violents[65] et des modalités de réponse rapide et efficace. Il faut absolument ici que s'installe un climat de confiance et de soutien parce que, comme on l'a vu, la personne agressée devient rapidement fragile et craintive d'un redoublement d'actes violents et elle craint d'être ridiculisée si elle se plaint.

Quant à la prévention tertiaire, elle est appelée à demeurer même si tous s'entendent pour affirmer que ce sont les deux modes d'intervention précédents qui sont susceptibles de produire les meilleurs résultats à moyen terme et à long terme.

Dès qu'un incident ou une suite d'incidents est rapporté, que ce soit par la victime ou par un observateur extérieur, le traitement de la victime devient prioritaire. Comme peu de gestionnaires sont à l'aise dans ces situations, des procédures simples doivent être mises en place pour accueillir la plainte et assurer le suivi des incidents.

---

65. DI MARTINO, Vittorio, Helge HOEL et Cary L. COOPER. *Prévention du harcèlement et de la violence sur le lieu de travail*, Fondation européenne pour l'amélioration des conditions de vie au travail, Dublin, 2003.

De même, des modalités de réhabilitation doivent être mises au point car il y a de forts risques que le harceleur récidive dès le retour au travail de la victime.

LES EXEMPLES DE COMPORTEMENTS HARCELANTS

- Déranger à tout moment un collègue pour l'empêcher de se concentrer.
- Punir un employé en le critiquant constamment.
- Ne donner que des tâches insignifiantes à réaliser.
- Refuser de déléguer même les décisions à faible impact.
- S'adresser à un employé en lui parlant fort, en criant même, et cela devant d'autres personnes.
- Surcharger l'employé de travail en réduisant les délais de manière qu'il ne puisse faire ce qu'on lui demande.
- Humilier publiquement la personne.
- Proférer des menaces concernant son statut ou son emploi lui-même.
- Ignorer totalement l'existence de l'autre, c'est-à-dire ne pas le regarder, ne pas le saluer, ne pas lui répondre s'il s'adresse à nous.
- Chaque fois qu'on le croise, regarder l'autre avec un sourire moqueur ou avec un regard fâché, sans qu'il y ait de raison connue pour ce faire.
- Retenir délibérément de l'information qu'on sait importante pour compléter le travail.
- Exclure un employé des réunions de service.

LES NOUVEAUX EMPLOYÉS

Il peut sembler étrange de traiter de ce thème dans un chapitre qui porte surtout sur l'équilibre et la prévention. Le rapprochement se fait à partir du fait que les nouveaux employés sont, depuis quelques années, en majorité des jeunes qui présentent une philosophie de vie et des valeurs qui peuvent entrer en conflit avec celles des employés plus âgés.

Ils doivent être accueillis avec respect et considération si on veut qu'ils s'intègrent rapidement et facilement à leur nouvel environnement, leur évitant ainsi des confrontations génératrices de stress et d'anxiété avec leurs pairs et leurs gestionnaires.

UN ENJEU MAJEUR

Le discours officiel en fait bien état : l'un des enjeux majeurs en gestion des ressources humaines pour les prochaines années réside dans l'arrivée des nouveaux employés, des jeunes employés. Le renouvellement réel et viable repose sur l'embauche des jeunes, qui est devenue une priorité sur le plan du recrutement.

Cette situation, totalement nouvelle, a été étudiée à fond, et on a conçu des techniques d'accueil, des modalités d'intégration et du mentorat se traduisant par de l'accompagnement individuel pour utiliser au mieux cet apport de nouvelles compétences. Plus spécifiquement, toutes ces sources d'adaptation de l'organisation pointent vers les valeurs de vie personnelle et de vie professionnelle véhiculées par les nouvelles générations.

Il faut en effet reconnaître l'importance de la culture de l'organisation vue en opposition à celle des jeunes travailleurs. Le fossé des générations va s'élargissant, et les jeunes qui seront embauchés seront radicalement différents de ce que les travailleurs actuels étaient lors de leur propre embauche. Malgré les mesures mises de l'avant, les organisations ne sont pas actuellement prêtes à accueillir les jeunes employés en tenant compte de leurs particularités. Il incombe donc au gestionnaire de se familiariser avec les différences afin de rendre l'adaptation du nouvel employé la plus aisée possible en attendant que des mesures globales concrètes soient prises.

DES AMBITIONS ET DES BESOINS DIFFÉRENTS

Le gestionnaire doit tenir compte du fait que la plupart des nouveaux employés ont moins de 35 ans, qu'ils ont investi la majorité de leur temps dans les études et la carrière et qu'ils recherchent particulièrement un milieu de travail où le climat est sain. En effet, il est observé que les jeunes recherchent plus que leurs aînés une saine conciliation entre le travail et la famille qu'ils désirent fonder.

On fait donc face ici à un changement de paradigme: les jeunes employés, qui ont vu leurs parents investir dans la carrière au détriment de la qualité de la vie familiale, n'ont pas les mêmes ambitions de carrière. On remarque que la loyauté totale à un employeur ne fait pas partie de leurs valeurs premières.

Les valeurs de base autrefois centrées sur le travail sont déplacées vers la qualité de vie. Après quelques années de travail, leurs besoins matériels essentiels comblés en bonne partie et les dettes d'études remboursées, le salaire n'est plus leur principale préoccupation. Ils recherchent davantage une vie axée sur le bien-être, les relations sociales et la satisfaction du besoin de création et de réalisation, plutôt que de se lancer dans la course à la rémunération la plus élevée.

Ces personnes, habituées à la discussion plutôt qu'à la confrontation, exigeront de leur gestionnaire des compétences interpersonnelles et communicationnelles afin qu'il soit davantage un conseiller et un partenaire qui leur ouvre les portes. Un emploi permanent étant pour eux un concept abstrait, la mobilité ne leur fait pas peur; souvent même, ils la recherchent. Ils vont donc privilégier, pour y faire carrière, les organisations dans lesquelles les occasions à saisir sont nombreuses. Leur niveau de formation est plus élevé que celui de la génération qui les a précédés, ce qui fait qu'ils ont une plus grande propension au risque. Il faudra donc savoir faciliter l'apprentissage vers une nouvelle carrière, vers une plus grande polyvalence.

Cette génération vise l'équilibre entre le travail et la famille, la croissance professionnelle, la reconnaissance, la gestion de carrière, l'apprentissage en milieu de travail et le travail d'équipe. Ces employés seront particulièrement sensibles à la gestion personnelle de leur carrière et à l'accroissement continu de leur expertise.

En mode de prévention, il faut tenir compte du fait que, dans nos organisations, les dirigeants sont souvent en réaction à des événements à forte saveur politique. Celle-ci engendre une pression pour trouver réponses, solutions ou explications concernant des thèmes inhabituels dans des délais très courts. Les employés sont alors soumis à une pression indue sous laquelle ils doivent concevoir à la vapeur des solutions sur mesure qui exigent souvent, de par leur nouveauté, une bonne dose de créativité. Le gestionnaire doit donc être vigilant et s'assurer que le jeune employé a la préparation requise pour assumer le stress de l'urgence auquel les plus expérimentés sont habitués.

Il est donc d'autant plus important d'être attentif aux attentes exprimées par les jeunes et de mettre en place des mesures qui permettront de les garder longtemps en emploi. En fait, la génération qui arrive dans nos bureaux sera rapidement à l'affût des différentes occasions de carrière qui s'offriront à elle et elle n'hésitera pas à changer d'emploi si cela s'avère nécessaire. Il faut donc l'écouter et respecter ses attentes, lui transmettre les valeurs et la culture de l'organisation, s'assurer qu'elle comprend bien son rôle dans le monde du travail, et plus spécifiquement dans l'organisation.

LES CARACTÉRISTIQUES DES JEUNES EMPLOYÉS

- Ils ont des valeurs qui accordent une grande importance à la vie personnelle, surtout familiale, mais aussi aux activités sportives, culturelles, sociales.
- Ils exigent respect et considération et ils sont appuyés en cela par l'employeur qui voit en eux le futur de l'organisation.
- Ils ont une approche au travail qui est plus du type « essai et erreur » que du type « Je ne bouge pas tant que je ne suis par certain de l'action à entreprendre ».
- La loyauté envers leur employeur n'est pas une valeur prioritaire et la mobilité ne leur fait pas peur. Ils n'hésiteront pas à chercher ailleurs si l'organisation ne satisfait pas leurs besoins fondamentaux.
- Ils sont créatifs et ils veulent avoir la possibilité de mettre leur créativité à contribution sans être obligés de se conformer au moule établi. Ils ont une propension au risque plus grande que leurs aînés.
- Une fois bien établis, ils vont rechercher une vie axée sur le bien-être et la satisfaction du besoin de création et de réalisation avant de privilégier le succès, même s'ils avouent candidement qu'ils aspirent tout de même à une progression dans la hiérarchie.
- Ils attendent de leur gestionnaire des compétences interpersonnelles et communicationnelles et ils le voient comme un conseiller et un guide qui leur ouvrira des portes.

Les employés expérimentés

Il a été observé ces dernières années, dans le contexte des suppressions de postes qu'ont vécues toutes les entreprises de moyenne et de grande envergure, que bien souvent les plus âgés sont poussés en quelque sorte à la retraite. Cette pression vient tout autant de l'employeur que des collègues plus jeunes. L'employeur y voit une occasion de réduire ses coûts et les plus jeunes aspirent aux postes plus intéressants et plus rémunérateurs occupés par les plus expérimentés.

Le drame psychologique vécu par les employés visés s'apparente aux conséquences dramatiques qui ont affecté plusieurs des victimes de la vague de mises en disponibilité qui a déferlé sur la fonction publique québécoise dans les années 1990, ainsi que du « tablettage » des cadres dont on ne voulait plus dans l'organisation. Dans les deux cas on poussait littéralement la personne vers la porte, provoquant par ces procédés une érosion rapide et importante de l'estime de soi des personnes visées et les dirigeant vers la dépression.

On peut observer deux comportements de gestion qui sont particulièrement incitatifs à la retraite, en particulier pour les plus qualifiés et les plus travaillants car les autres vont se complaire dans ce *nirvana* d'inutilité. D'une part, on ne met pas leur expertise à contribution en leur confiant des tâches banales : c'est l'ennui. D'autre part, on met leur expertise à contribution dans des travaux de haut niveau, mais on n'y donne pas suite : c'est la déception.

Dans les deux cas, frustration, angoisse et déprime sont vécues par l'individu comme conséquence d'une perception de mise au rancart de son savoir et de son expérience, du déni de l'importance de ce capital, et par conséquent de sa valeur propre en tant que personne.

En contrepartie, il faut reconnaître que **le rôle de mentor, de conseiller et d'accompagnateur est valorisant pour l'employé en fin de carrière et qu'un tel rôle peut être un puissant incitatif à rester en emploi.** Il est tellement rafraîchissant de travailler avec le dynamisme des jeunes dans un climat de totale ouverture. Ce n'est que dans un environnement teinté de confiance et de respect que les savoirs individuels peuvent se transformer en savoirs collectifs.

Il faut dire aussi que des tensions et des conflits apparaissent parfois entre travailleurs d'âge différent : soit que les nouveaux se montrent peu réceptifs aux savoir-faire acquis par les plus anciens, soit que les anciens aient de la difficulté à comprendre les jeunes dans leur valorisation de l'autonomie et le peu de sens du devoir et de la loyauté qu'ils démontrent.

Il faut revoir notre vision du vieillissement au travail dans les pratiques de gestion. Il s'agit de passer d'une vision des travailleurs âgés considérés comme une main-d'œuvre peu efficace, laquelle s'exprime à travers des stratégies d'élimination des employés vieillissants, à une vision plus positive qui vise à intégrer les compétences spécifiques qu'offrent les travailleurs vieillissants.

LA PROTECTION DE L'ACTIF « EXPÉRIENCE »

- Fais attention à ne pas inciter les plus âgés à prendre leur retraite prématurément et surveille les attitudes des plus jeunes qui peuvent aspirer à hériter de leurs projets plus intéressants.
- Rappelle-toi le drame vécu par les gens mis en disponibilité dans les années 1990 et par ceux qui ont été tablettés.
- Évite de leur confier des tâches banales qui ne mettent pas leur expertise à contribution.
- Essaie d'utiliser les richesses du mentorat et de l'accompagnement en formant des combinaisons jeunesse-expérience.
- Incite les jeunes à profiter de l'expérience des plus âgés, car ils seront souvent hésitants à utiliser les vieilles recettes auxquelles ils ne croient pas *a priori*.

VOS NOTES PERSONNELLES

En gestion individuelle : les singularités

On peut reconnaître différentes personnalités chez les employés de la base. L'objectif de ce chapitre consiste à caractériser quelques-unes de ces personnalités dans leurs qualités et leurs défauts en contexte de travail, à préciser les indices détectables par l'observation en situation et à proposer une approche adaptée dans tous les cas qui méritent un ajustement.

J'admets que le choix d'appellation n'est pas tout à fait exact, car « singularité » revêt normalement un caractère d'unicité, ce qui n'est pas nécessairement le cas ici. En effet, quoique peu fréquentes, les singularités se trouvent à de nombreux exemplaires dans nos organisations. Je n'ai pas osé emprunter le terme « caractères » par respect pour l'œuvre géniale de Jean de La Bruyère[66], mais je crois que l'utilité est la même « [...] si cela sert à insinuer et à faire recevoir les vérités qui doivent instruire ».

66. DE LA BRUYÈRE, Jean. *Les Caractères*, Paris, Bookking International, 1993.

MISES EN GARDE

LE BON ET LE MAUVAIS

Il faut faire attention: on décrit ici, on caricature oserais-je dire, des personnes qui présentent des caractéristiques facilement reconnaissables sur le terrain. On ne traite donc pas ici de personnes difficiles à gérer ou de personnes à problèmes, thèmes qui ont fait l'objet d'un chapitre de *Profession gestionnaire, tome 1*.

Le présent chapitre n'ambitionne pas non plus de trouver des façons de changer ces personnes. Dans bien des cas, il s'agit de traits de personnalité bien incrustés qu'il revient à la personne elle-même de changer si elle en est consciente et si elle souhaite changer.

D'ailleurs, dans chacun des cas étudiés on pourrait tout aussi bien découvrir l'autre côté de la médaille, la face positive qui permettrait de voir de belles qualités qui feraient contrepoids aux petits travers mis à nu ici.

Par contre, il peut être utile de savoir déceler ces personnalités et, au regard de leurs côtés potentiellement dérangeants pour l'organisation et pour les collègues, de connaître la façon de les aborder. On éviterait ainsi que ces aspects de leur personnalité deviennent problématiques pour eux et pour l'unité, et on pourrait même, idéalement, les transformer en plus-values pour l'organisation.

L'INNÉ ET L'ACQUIS

Dans tout ce qu'on est comme individu, il n'y a pas un détail, même le plus infime, qui n'a pas été conditionné par notre héritage génétique.

Nul besoin d'en faire la démonstration quand il s'agit de caractéristiques observables à l'œil nu ; les jumeaux homozygotes en sont la démonstration vivante.

Toutefois, les gens ignorent souvent qu'il en est ainsi sur les autres plans, l'affectif et le psychologique. On peut observer des familles d'anxieux, des familles de dépressifs, des familles de colériques, des familles de sensibles. Il ne faut pas généraliser à l'excès mais, je le répète, il est important de savoir qu'une bonne partie de ce qu'on est nous a été accordé tel quel à la naissance.

Cela dit, l'autre moitié de ce qu'on est comme individu provient de ce qu'on se fait soi-même d'instant en instant, d'expérience de vie en expérience de vie. Il faut avouer qu'encore ici la maîtrise nous échappe. En effet, ce qu'on fait durant les vingt premières années de notre vie est souvent issu de prescriptions de parents, d'enseignants, de patrons. Ce n'est qu'à partir de là qu'on commence à faire nos propres choix d'expériences de vie.

Tout cela pour en arriver à la recommandation suivante relativement aux petits travers observés chez un employé – quelqu'un a déjà dit quelque chose de semblable il y a quelques millénaires : « Ne lui lance la pierre que si tu es toi-même sans travers ! »

TYPOLOGIE DES SINGULARITÉS

La typologie qui suit n'est pas exhaustive. Ces types sont tirés d'observations personnelles qui n'ont aucune valeur scientifique car elles sont fortement teintées de subjectivité de la part de l'observateur, en l'occurrence l'auteur de cet ouvrage.

Pour s'accorder avec le genre féminin ou masculin de l'appellation donnée à la singularité et en conformité aussi avec le personnage que je décris pour l'avoir connu en action, j'utiliserai le féminin ou le masculin. Il ne faudrait pas y voir une opinion selon laquelle telle singularité en particulier se trouve plus souvent chez les hommes ou chez les femmes.

Évidemment, les caractères typiques qui sont décrits ci-après ne sont pas purs. Parfois même, deux ou trois singularités se juxtaposent et se combinent chez un seul individu pour donner une personnalité différente. Il ne faut donc pas tenter d'identifier autour de vous ces personnages à leur état pur, mais il peut être très utile de constater chez une personne la présence de l'un ou l'autre des travers décrits, qui pourraient éventuellement miner votre crédibilité comme gestionnaire autant auprès de vos supérieurs qu'auprès de vos employés.

L'AGITATEUR

Celui-là est dangereux parce qu'il a un talent fou pour semer la zizanie.

Deux motivations peuvent l'amener à agir ainsi. Parfois on dérange sa bienheureuse tranquillité en adoptant un mode d'organisation qui lui enlève du pouvoir ou de la liberté d'action. Souvent ce sera pour se venger d'une personne d'une autre unité, qu'il déteste et qui travaille sur les mêmes dossiers.

Voici comment il agit: il intervient auprès de toi, son supérieur, pour faire en sorte que tu te fâches contre ton collègue de l'autre unité et que tu en viennes à ressentir de l'agressivité contre lui. Sa stratégie fait appel aux émotions: te faire croire que l'autre se moque de toi et t'amener ainsi à déduire que tu n'as d'autre choix que d'intervenir avec force, de partir en guerre.

Bien sûr, l'agitateur n'a pas de preuves concrètes de ce qu'il avance, mais il est capable de transformer l'apparence des faits de manière à te démontrer quasiment hors de tout doute que l'autre secteur ou l'autre employé est fautif. Il te convainc que l'autre partie cause de sérieux préjudices à la clientèle, que celle-ci en tire une mauvaise perception au regard de la qualité du service et que c'est sur toi et ton unité que va rejaillir le blâme.

Au lieu d'assumer ses responsabilités et d'agir lui-même pour résoudre la difficulté, il va te mettre dans l'embarras en faisant insidieusement sauter le singe sur ton épaule. La colère t'enflamme et tu te diriges vers le bureau de ton homologue. L'agitateur va t'accompagner au front, mais il saura s'esquiver en douceur au bon moment une fois que l'incendie émotionnel aura atteint son paroxysme.

C'est un hypocrite et un lâche qui va observer le conflit sur un fond de jouissance perverse. Par personne interposée, il s'est vengé de celle ou de celui à qui il en veut.

En tant que gestionnaire, si un de tes employés essaie de te faire porter le singe et de te faire partir en guerre, méfie-toi ! Assure-toi qu'il avance des faits réels et non des suppositions. Exige des preuves concrètes. Sois vigilant et tente de voir venir la montée émotionnelle que l'agitateur veut provoquer en toi. Il va jouer sur ton orgueil en te faisant croire que tu fais rire de toi, que tu n'as rien vu des abus qu'on fait contre ton unité, et contre toi par voie de conséquence.

Utilise la confrontation de manière à forcer l'agitateur à assumer personnellement la portée de ses accusations. Pour ce faire, réunis tous les protagonistes autour de la même table et assure-toi d'obtenir un consensus selon lequel les attaques et les critiques doivent être remplacées par la froide observation des faits. Par la suite, une fois le puzzle des faits bien reconstitué, ce sont les gestionnaires concernés par le conflit qui doivent assumer la tâche de blâmer qui le mérite. Cela doit se passer à un autre moment, entre le gestionnaire et son employé ou entre les gestionnaires eux-mêmes selon le niveau où se situe la responsabilité.

N'oublie pas que, si tu pars en guerre contre un collègue, toi et l'autre serez perdants aux yeux de la direction qui y verra une incapacité à travailler de concert avec les autres et une source de problèmes dont on se passerait bien. Si tu crois que ce conflit artificiel te fait gagner des points, tu te trompes: ceux d'en haut t'apprécieront dans la mesure où tu leur apporteras plus de solutions que de problèmes.

L'ANALPHABÈTE

Le pire analphabète que j'aie connu était un beau parleur qui ne réussissait à convaincre que les gens ignares de ce qui était sa spécialité, ses clients évidemment. Borgne, il était roi au pays des aveugles, mais ses clients appréciaient le havre de sécurité qu'annonçait son bagout. La seule fois où j'ai exigé un rapport circonstancié à propos d'un dossier particulier, tout ce que j'ai obtenu après trois semaines et plusieurs rappels, ce sont trois lignes – je dis bien trois lignes – dans une note de service. Ces trois lignes ne disaient, bien sûr, absolument rien, tout en étant suffisantes pour que j'y trouve quelques fautes de français.

L'analphabète dont je parle ici ne l'est pas vraiment à proprement parler, c'est-à-dire quelqu'un qui ne sait pas écrire, sauf signer son nom par mimétisme. Je qualifierais plutôt son état comme en étant un d'analphabétisme fonctionnel. Dans les faits, il est incapable d'articuler sa pensée et de l'exprimer par écrit. Son problème, c'est qu'il connaît si peu sa langue qu'il semble l'écrire au son. Lorsqu'il s'agit d'un employé de niveau professionnel, cela devient un handicap sérieux. Il y a vingt ans, dans un domaine très spécialisé sur le plan technique, cela pouvait passer, mais aujourd'hui ça ne peut plus être toléré.

Heureusement, cette race de dinosaures est en voie d'extinction dans nos organisations, mais il y a encore une bonne proportion des travailleurs qui ont de la difficulté à organiser leurs pensées en vue de les mettre par écrit. De plus, il y en a toujours un nombre important qui souffrent du syndrome de la page blanche. Ceux-là, au moment de s'installer pour écrire, ne savent pas par où commencer. Rédiger un rapport, pour eux, est un véritable supplice. Ils peuvent par ailleurs, malgré ce handicap, être d'excellents professionnels, techniciens ou commis de bureau.

Deux problèmes de gestion se posent : un de logistique et un d'évaluation du rendement.

Sur le plan de la logistique, la difficulté réside dans l'allocation des mandats. Tu auras tendance à confier d'office les projets qui requièrent une bonne quantité d'écrits à ceux qui peuvent écrire sans trop perdre de temps. Le problème de cette forme d'analphabétisme ressort de façon de plus en plus criante au fur et à mesure qu'on met en place des technologies qui requièrent les échanges écrits, tel le courriel. À mon avis, **plus les technologies seront utilisées pour exécuter le travail quotidien, plus on découvrira d'analphabètes fonctionnels** correspondant aux types décrits parce qu'ils devront, par la force des choses, finir par admettre leurs limites au regard de ce véhicule de communication.

Sur le plan de l'évaluation, comment peux-tu, en tant que gestionnaire, évaluer objectivement cet employé compte tenu de ses limitations fonctionnelles ? Le problème d'évaluation ne se limite pas à l'employé qui a ce problème : les collègues connaissent ses limites et en viennent à considérer l'autre comme un incapable qui en fait bien moins pour le même salaire. Révolte ! Critique du *boss* ! Injustice ! Motivation à la baisse !

Comment gérer cette hargne ? Démontre aux compétents qu'ils ne se satisferaient pas du travail de bas étage que tu es obligé de confier à l'analphabète et que ce travail rend quand même service à l'organisation. Quant à l'analphabète, dis-lui clairement ce que tu penses de lui et ce que tu attends de lui, en particulier qu'il fasse montre d'un peu d'humilité afin d'éviter de provoquer l'ire de ses collègues.

Pour ce qui est de voir au développement des capacités d'écriture de ces employés, c'est peine perdue à moins qu'il ne s'agisse d'un jeune employé encore ouvert aux nouveaux apprentissages et capable de les compléter. Cela se développe quand on est jeune, et je suis d'avis que certaines personnes ne l'ont simplement pas et ne l'auront jamais. Elles ne pourront que compenser, au prix de grands efforts mentaux et d'investissements de temps importants.

L'AVARE

C'est «une grenouille à grande gueule qui se pète les bretelles» et se présente comme le seul qui connaît à fond sa spécialité et dénigre tous les autres qui ne sont pas spécialistes et qui osent prétendre en savoir autant que lui. **Avare de ses connaissances, il sera de peu d'utilité au sein d'une équipe de projet.**

C'est une «vedette» à sa façon, mais qui ne dispose pas des capacités de livrer rapidement des résultats de qualité comme la vedette décrite plus loin. C'est plutôt une sorte de *diva* qui fait plus de brassage d'air que de réalisations concrètes. Il est un superspécialiste qui se dit le meilleur en son domaine, ce qui légitime son insoumission et sa critique parfois acerbe des autorités, incluant toi-même son gestionnaire.

Il connaît bien sa spécialité et il l'affirme haut et fort. Par contre, son champ d'expertise est relativement restreint. Si quelqu'un a l'audace de s'aventurer dans ses plates-bandes, très vite il l'accusera d'être un ignare et il répétera pour la millième fois: «MOI, j'ai étudié à tel endroit. MOI, j'ai acquis telle expérience dans telle entreprise! Et l'autre qui dit savoir, qu'a-t-il fait? RIEN!»

Il travaille rapidement, mais il aura tendance à être superficiel car il est imbu de lui-même et jaloux de son statut de «seul qui connaît ça». Il voudra préserver ce statut en ne livrant qu'une partie de ce qu'il sait et en répétant, comme pour se convaincre lui-même, qu'il a la parfaite maîtrise des particularités techniques de ses dossiers. En fait, il connaît vraiment ce dont il parle, ce à quoi il est plus habile d'ailleurs qu'à cristalliser par écrit ses réflexions géniales. Il s'attribuera toujours la paternité des succès, mais les échecs seront toujours causés par des failles administratives, des budgets insuffisants, l'ineptie des décideurs, bref rien qui lui appartienne.

Tu sens son avarice transpirer de toutes parts quand tu lui demandes d'expliquer. Alors, tout devient très complexe et il s'assure de ne te transmettre qu'une partie de ses connaissances tout en laissant entendre d'un air entendu et condescendant qu'il t'en manque un peu pour bien comprendre. Il insiste sur sa totale ouverture mais il s'assure d'omettre des explications clés qui pourraient t'amener à en savoir autant que lui.

Il doit absolument éviter que tu comprennes suffisamment pour pouvoir t'exprimer publiquement sur le sujet et lui voler ainsi sa tribune. Le partage des connaissances, ce n'est pas pour lui car ce serait se tirer dans le pied.

Il est inapte à diriger une équipe de projet car tous les autres sont des ignares, sinon des imbéciles. Son mode de communication est habituellement unidirectionnel, de style monologue, ce qui crée rapidement une dispersion des efforts de l'équipe.

Tu es en quelque sorte forcé de limiter sa contribution à un rôle de conseiller spécialisé sur différents dossiers, ce qui n'est ni mauvais, ni inutile, car aux yeux des gens de l'extérieur de l'organisation il apparaît comme une valeur sûre sur laquelle on peut s'appuyer. Ce rôle fait aussi bien son affaire, car cela lui laisse amplement de temps pour élargir ses connaissances et les mettre à l'épreuve de l'expérimentation locale.

Le blagueur

Il s'agit ici du blagueur impénitent, celui qui a toujours le mot pour rire mais qui ne mesure pas toujours les effets négatifs de ses blagues sur les autres et sur l'organisation. Après tout, il fait cela pour bien faire, pour mettre de l'ambiance, pour créer un milieu plus vivant et plus intéressant.

Son principal défaut réside dans son incapacité à juger de la cible et du moment de la blague. Il finit pas laisser croire qu'il ne prend pas son travail au sérieux, et toi, son patron, tu as les mains liées pour le critiquer ouvertement. Cependant, fortement perturbé par cette apparente légèreté, tu finiras pas adopter des mesures qui vont pénaliser le blagueur à plus ou moins long terme. Il ne comprendra jamais ce qui s'est passé et il ne sera surtout pas d'accord avec ta critique.

Parfois, il en met trop, trop fort et trop longtemps, de sorte qu'il perturbe la concentration d'un grand nombre de personnes. Il est surtout dérangeant pour les personnes qui sont dans un état d'esprit plutôt sombre, qui affrontent de graves problèmes personnels et qui n'ont surtout pas la tête à la fête. Lorsque Joe Blagueur raconte ses histoires – et il en a toujours des nouvelles dans son sac – on se demande où il prend tout ça. Il finit dans un grand et fort éclat de rire communicatif auquel l'entourage peut difficilement résister.

Comme c'est une personne très dynamique, une bombe d'énergie, tu dois le prendre à part et lui décrire ce qui se passe quand il raconte une histoire au milieu de la place: son effet d'attraction, les mimiques des gens, parfois joyeuses d'anticipation d'un bon éclat de rire, parfois renfrognées à l'idée d'être encore dérangées dans leur déprime par ce raseur qui ne respecte personne. Tu dois lui exposer, rationnellement mais sourire aux lèvres, que ses comportements, parfois utiles pour alléger le climat de tension, ont aussi des effets négatifs. Tu lui demandes alors un petit effort de jugement pour bien doser ses blagues. S'il s'agit d'un employé productif, il comprendra et ajustera ses comportements.

Le buveur

Le buveur est un grand malade qui s'ignore jusqu'au moment où sa vie bascule: conjoint, enfants et patrons ne peuvent s'empêcher d'intervenir devant l'évidence.

Dans les faits, c'est un alcoolique et, tant et aussi longtemps qu'il niera son état, il ne changera pas, bien qu'il soit conscient qu'il consomme beaucoup et que ça affecte ses relations et son rendement au travail.

Cependant, à partir du moment où il entre régulièrement le matin avec une haleine de fond de tonneau, une barbe de trois jours au menton, un regard fuyant et vitreux, un teint livide, une démarche peu assurée et une bouche pâteuse, il est plus que temps que tu interviennes. Sa conjointe et ses amis intimes ont déjà transmis des messages clairs d'inquiétude et des avertissements d'éloignement éventuel parce que le buveur devient trop difficile à vivre, ce qui fait qu'il est déjà préparé à affronter son problème qu'il ne peut plus nier.

Que sa dépendance soit de nature physiologique ou psychologique – habituellement les deux – tu ne dois intervenir qu'en tant que gestionnaire responsable de la productivité de son équipe et du bien-être de ses employés. C'est habituellement une démarche graduelle: retrait du travail quand il se présente dans un état non fonctionnel, signalement aux spécialistes des ressources humaines, suggestion de consulter son médecin.

◆ ◆ ◆

Une approche humaine mais ferme doit être adoptée: le buveur est profondément malheureux et il ne peut s'en sortir seul; il a besoin d'être bien encadré.

Le dauphin

Il est ton successeur au trône ou, plus délicat encore, celui d'un plus haut gradé que toi. Il va se faire dévorer tout rond si c'est trop visible. Je vais me contenter de traiter ici de ton dauphin à toi.

On le remarque non pas par ses bons coups ou par l'évidence de ses qualités potentielles en gestion, mais par tes comportements à son égard. Tu lui accordes facilement le bénéfice du doute, tu le critiques rarement dans des situations identiques à d'autres dans lesquelles tu n'hésiteras pas à blâmer vertement ses pairs. Souvent même, tu vas adopter son argumentation même si, de toute évidence, elle n'est pas la meilleure.

Si ton dauphin est un de tes meilleurs éléments, va toujours. Toutefois, la situation est plus critique s'il est responsable d'une unité de soutien ou s'il exerce auprès de toi un rôle d'adjoint administratif. Il sera rapidement détesté, mais ce sera une haine larvée en ce sens qu'elle ne pourra éclore au grand jour de peur d'encourir tes foudres, toi qui l'as choisi entre tous. Il risque fort d'être rejeté par les autres employés et de subir un isolement qui le rendra encore plus dépendant de ta reconnaissance, et donc plus servile à ton égard.

Certains facteurs d'identification sont facilement observables: ton dauphin a son bureau localisé à proximité du tien, il y a un accès ouvert en tout temps alors que d'autres doivent faire la file, il défend âprement tes décisions, même les plus discutables. Le qualificatif de «lèche-cul» lui va souvent à merveille.

Il n'hésitera pas à devenir délateur et à dénoncer ceux qui se disent en désaccord avec toi derrière ton dos si cela peut lui faire gagner des points à tes yeux. Une telle attitude provoque la méfiance de ses collègues qui lui mettront les bois dans les roues s'il advient que toi, son protecteur, tu partes sans l'emmener avec toi. Ce n'est cependant pas trop dangereux parce que les deux quittent souvent ensemble. Le porte-queue a bon espoir que tu pourras le haler vers de plus hauts sommets.

On faisait cela quand on était jeune : en hiver, la neige recouvrait les rues, les autos peu nombreuses roulaient lentement et on avait le temps de partir à la course pour s'agripper au pare-chocs arrière, qui permettait une bonne prise pour les mains. On se laissait glisser ainsi sur un bon bout de chemin. On appelait cela faire du « taxi-bottines ». C'est un peu ce que fait ce type de dauphin opportuniste : il utilise l'énergie ascensionnelle de son patron pour progresser plus vite et plus haut.

Ce phénomène est fréquent. N'as-tu jamais entendu parler d'un adjoint administratif qui a été aspiré à un niveau cadre IV après une courte période de loyaux services et qui est parvenu une ou deux années plus tard à un niveau de cadre III ou même II ?

Ce tableau fortement teinté de négativisme omet de mettre en évidence la contrepartie positive : il s'agit d'un employé qui a déjà démontré ses compétences et sa valeur professionnelle, un employé sur lequel tu peux compter pour donner un coup de collier le cas échéant et dont la loyauté à ton égard ne fait pas de doute. Le dauphin, de quelque type qu'il soit, revêt toujours une grande valeur pour l'organisation.

LE FUTUR RETRAITÉ

Dans certains milieux, un travailleur sur quatre se classe dans cette catégorie des futurs retraités. Cela a évidemment un impact important sur l'organisation du travail, et cet impact va prendre de la force dans les prochaines années quand la masse des *baby-boomers* sera à l'aube de cette retraite si chérie.

Dans le milieu du travail, le futur retraité peut prendre plusieurs visages selon le poste qu'il occupe et les responsabilités qu'il doit assumer. Pour plusieurs, c'est la période la plus productive de leur carrière.

Celui qui est décrit dans les lignes qui suivent est un professionnel dont les attitudes sont improductives et déteignent sur les collègues de tous niveaux.

Il dit qu'il en a vu d'autres et il ne panique surtout pas devant les demandes annoncées comme étant urgentes. Il s'engage moins profondément en invoquant sa certitude selon laquelle les résultats qu'on demande pour demain ne seront utilisés que deux mois plus tard ou jamais. Comme il participe moins, on lui confie des dossiers de moins en moins importants, ce qui a pour effet d'amplifier le problème.

Il en profite pour circuler ici et là dans les corridors et s'arrêter dès qu'il perçoit un regard qu'il prend pour une invitation à faire jasette. On comprend ce qu'on veut bien comprendre ! Il parle de ses projets de retraite : le chalet dont il a déjà entrepris la rénovation, les excursions en véhicule tout-terrain ou en motoneige sur son lopin de terre si giboyeux qu'il doit faire attention pour ne pas écraser lièvres et perdrix, les voyages en Europe et plus encore.

Moins il est productif, moins il veut en faire. Il réussit même à saboter le peu qu'on lui demande, à tel point qu'on va demander à quelqu'un d'autre de prendre la responsabilité du dossier ou, pire encore, on va le faire soi-même si ça presse vraiment. Ajoutant l'injure à l'insulte, il aura l'effronterie d'accuser les autres maillons de la chaîne d'être la cause de son ineptie.

Une solution possible : lui confier un rôle de mentorat ou d'accompagnement s'il a les qualités requises pour ce faire et s'il se trouve une combinaison possible dans l'unité. Ce qui est récupérable chez le futur retraité, c'est son expérience, et c'est là la meilleure façon de l'utiliser. Pour la plupart, ils ne seront que très heureux de se sentir utiles et, en plus, quoi de plus énergisant que de travailler avec un jeune plein de dynamisme et d'enthousiasme. Il sera cependant vital de l'avoir à l'œil pour éviter qu'il pollue cette belle énergie.

LA GIROUETTE

Un changement au poste de directeur ou de directeur général s'annonce. Comme cela arrive souvent, le futur nouveau gestionnaire va se pointer dans une atmosphère de préjugé défavorable au sein du personnel de l'organisation touchée.

La girouette est la première à activer sa langue de vipère auprès de qui veut bien l'entendre. Elle décrie le nouveau nommé au poste de direction, affirme haut et fort que ça n'a pas de sens et menace de défendre chèrement sa peau à la moindre velléité de changement, comme si sa vie ou son emploi en dépendait.

C'est toutefois une personne capable d'un charme irrésistible quand elle s'y met et, si le nouveau gestionnaire lui prête attention, ne la menace pas et lui porte même intérêt sur le plan professionnel, alors en moins de deux elle lui fait des courbettes et feint un grand intérêt pour le personnage qu'elle continue d'abhorrer par ailleurs. Tout à coup, ce qui alimentait sa hargne s'est comme volatilisé : un gain potentiel se pointe à l'horizon. N'est-ce pas la spécialité de la girouette de s'orienter dans la direction du vent ?

Intelligente, elle aura soin d'éviter d'inverser son discours ; elle se contentera de mettre en veilleuse son manège de dénigrement. Seules ses attitudes trahissent son jeu. Elle va chercher à découvrir les préférences du patron et agir de manière à lui faire plaisir, car elle y voit de belles possibilités de satisfaction d'ambitions souvent caressées mais rarement sérieusement envisagées. Au besoin, elle va assaisonner sa manipulation de paroles de dénigrement des qualités et des bons coups de ses collègues à qui elle ne s'attaquait pas auparavant. Quand on ne peut s'élever soi-même à force de bras et qu'on veut dominer les autres, il reste la solution de les rabaisser. Einstein revisité : tout est relatif en ce bas monde.

La girouette va donc passer outre à ses opinions, pourtant apparemment si bien ancrées, pour l'excellente raison que l'évitement du conflit va lui permettre de préserver les avantages acquis et même d'en gagner de nouveaux si telles sont ses ambitions. Elle n'hésitera pas à imiter le renard mielleux de la fable louangeant la belle voix du corbeau pour lui faire échapper le fromage qu'il tient dans son bec.

En tant que nouveau gestionnaire de l'unité, tu dois faire preuve de méfiance car cette personne est hypocrite, profiteuse et coupe-jarret si nécessaire. Le problème qui se pose réside dans la difficulté de voir le jeu de la girouette, surtout lorsque c'est toi qui es en cause, alors que ses collègues peuvent facilement le détecter.

Si jamais tu as des indications de quelque nature que ce soit à cet égard, tu dois adopter une stratégie d'enquête qui t'amènera à vérifier auprès des collègues la version des faits qu'elle t'aura présentée dans une situation conflictuelle. **Si tu la démasques, évite le conflit ouvert car elle a le charme voulu pour embobiner une partie de ton équipe et te faire perdre ta crédibilité à ses yeux.**

Le grognon

Un véritable croque-mort. Du négatif garanti pur à 100 %.

Il traîne partout et en tout temps sa mine d'enterrement et, quand il parle, rien n'est jamais bien. Ça va, oui, mais... S'il s'agit de l'organisation, ça ne va jamais, ça s'endure seulement. Côté famille, épouse ou ados, ça semble toujours un peu lourd à vivre. Pas de négatif côté sport, il n'en fait pas et ne s'y intéresse pas. Ses spécialités sont l'entretien de la maison et les nouvelles. Pas surprenant que la grogne le suive partout.

Mais revenons au bureau : il trouve toujours quelque chose à redire concernant les politiques, la gestion, les gestionnaires eux-mêmes et les fournisseurs. Son niveau de scolarité est faible et il a fini par monter dans la hiérarchie jusqu'au niveau professionnel avec l'aide du temps et du laxisme de gestionnaires de passage.

Il aurait tous les atouts pour faire un bon rond-de-cuir s'il était en contact avec les clients. Ces deux-là sont faits dans des moules semblables, car une autre caractéristique qu'ils partagent, c'est le bon vieux « 9 à 5 ». Jamais en retard le matin, surtout jamais en retard pour quitter en fin de journée. Ils s'absentent rarement pour mieux accumuler les congés de maladie ; c'est le genre à partir à la retraite avec un crédit de 300 jours de maladie à compenser.

Solitaire, isolé, il n'a pas d'amis au bureau. Il marche lentement et, quand on le croise, on jurerait qu'il va nous apostropher tellement il a l'air « en beau maudit ». Heureusement, c'est seulement son air qui est comme çà. Il a aussi une voix qui porte car il aime bien que tous sachent à quel point il n'est pas content de la façon dont les choses sont menées.

À le voir, on est atteint d'un sentiment de déprime qui ternit notre propre journée et celle des collègues qui le côtoient. Ça mine un esprit d'équipe d'une façon des plus efficaces.

Ce n'est pas un cas désespéré et, s'il ne peut changer sont tempérament, il peut en contrôler une partie des manifestations.

Dès que tu le vois en train de dénigrer quelqu'un ou quelque chose, prends-le à part, fais-lui exprimer la source de sa critique, amène-le à la justifier objectivement. Le contact doit apparaître amical et se faire dans le calme, avec peut-être un petit sourire moqueur en coin pour bien montrer que ce n'est pas dramatique et un peu risible. Il ne partagera peut-être pas ce sourire entendu les premières fois, mais ça va venir si tu entretiens une relation correcte avec lui. Il finira par comprendre que son attitude est largement exagérée et qu'il ne gagne rien à la maintenir.

LE HARCELEUR

Le chapitre précédent décrit largement le contexte de harcèlement en milieu de travail et propose une réflexion portant sur les modes de prévention possibles, en particulier de la part du gestionnaire, considérant le fait que les politiques et pratiques administratives en ce domaine sont habituellement inexistantes dans la plupart des organisations.

Je souhaite décrire ici deux types de harceleurs que j'ai pu observer et qui se trouvent assez souvent dans nos organisations. Je vais les appeler l'indifférent et le persécuteur. Le harceleur et sa victime sont des collègues ; il pourrait toutefois arriver qu'il s'agisse d'une dynamique patron-employé dans laquelle l'un ou l'autre peut être le harceleur ou la victime. Ces deux types de harcèlements ne laissent que peu de chances à la victime de s'en sortir sans séquelles, quelle que soit sa force sur le plan psychologique.

L'indifférent est un collègue avec qui la relation est bonne, parfois même une relation d'amitié. Puis, arrive une situation où la victime se voit confier un dossier auquel l'autre aspirait intensément, un dossier de visibilité par rapport à la direction. La jalousie s'installe, le harceleur potentiel suspecte la victime d'avoir magouillé pour obtenir ce dossier, il lui en veut, il se met à bouder comme un enfant.

Cette bouderie se traduit dans la réalité organisationnelle par des comportements d'indifférence totale du harceleur envers la victime : il la croise dans le corridor et la frôle presque sans lui jeter le moindre regard, sans aucune mimique, même pas un air de colère. Rien du tout, comme si la victime n'existait tout simplement pas.

Si un autre dossier exige la collaboration des deux protagonistes, le harceleur ne livre aucune information dont l'autre aurait besoin pour sa partie du travail. La victime se présente au bureau du harceleur qui ne lève même pas la tête, qui fait comme s'il n'entendait pas l'autre qui lui parle. Graduellement, l'angoisse se développe et devient vite intolérable : « Qu'est-ce que je lui ai fait ? Pourquoi m'en veut-il autant ? J'ai pourtant tout fait pour qu'on s'explique ! »

La victime se confie à son supérieur qui, impuissant, se décharge du problème en leur suggérant de régler cela entre eux : « Vous êtes des adultes, tout de même ! » En conséquence, la victime, un employé expérimenté et de compétence reconnue, perd sa confiance en lui-même et voit diminuer considérablement sa productivité et son plaisir à travailler.

Le persécuteur est bien différent dans son approche de harcèlement. Loin de démontrer de l'indifférence, il saisit toutes les occasions pour se moquer de la victime.

Le harceleur suit la victime dans l'allée, adopte sa démarche et vocalise derrière elle des « hummm » ou des « tsss tsss » avec suffisamment de force pour que ce soit clairement perçu. Le harceleur en rajoutera en faisant des allusions à peine voilées aux caractéristiques qu'il déteste chez la victime toutes les fois que l'occasion se présentera et devant le plus grand auditoire possible. Il masquera cependant sa discrimination sous un couvert de bonhomie, de compréhension et d'acceptation de la différence pour éviter qu'on ne voie son jeu, par ailleurs d'une évidence criante.

La situation de harcèlement est différente, mais le résultat est le même. Le problème particulier à ce cas, c'est que la victime n'osera pas se plaindre à son supérieur, craignant une réaction de déni de la réalité du harcèlement pouvant aller jusqu'à ridiculiser les émotions ressenties par la victime. Elle croit que cela ne ferait que jeter de l'huile sur le feu.

Dans ce cas, quelles que soient les opinions du gestionnaire qui reçoit la victime, il se doit de faire preuve de dignité dans son accueil, et surtout de ne pas ajouter au traumatisme psychologique de la victime… à moins de tomber assez bas pour utiliser le harceleur indirectement pour se débarrasser d'un employé qu'il n'aime pas lui-même.

Dans ces deux cas, comme dans la majorité des cas de harcèlement, la détection ne se fera que si le gestionnaire accorde du temps à la prévention des problèmes pouvant affecter son unité et son personnel. Cela inclut l'observation sur le terrain et l'écoute des messages plus ou moins explicites qui proviennent de l'entourage de la victime et du harceleur.

Le gestionnaire a la responsabilité éthique et morale d'intervenir promptement et fermement pour endiguer le malaise psychologique qui envahit la victime, bien sûr, mais aussi toute l'unité dans laquelle se déroule ce harcèlement. Ce n'est pas chose aisée, mais c'est ainsi qu'un gestionnaire acquiert le respect de ses troupes.

L'INAPTE

L'inapte, c'est l'incompétent par inaptitude. Il n'a pas les connaissances ni les habiletés requises pour l'emploi et il a démontré au fil de sa carrière qu'il était incapable de les acquérir. Quand on se trouve avec l'inapte dans son unité, on se demande : Mais qui donc a fait l'erreur de l'embaucher sans y regarder de près ?

Je traiterai ici de deux types d'inaptes : le conscient et l'inconscient.

Le premier va écouter les reproches, argumenter un peu mais continuer son petit bonhomme de chemin jusqu'à la retraite et il va accepter toute décision de mutation ou d'affectation sans regimber. Il sait bien qu'il est incompétent, qu'il ne connaît pas son domaine d'activité en profondeur, qu'il n'est que superficiel dans ses interventions. Il sait aussi que le résultat serait le même quel que soit le domaine.

Par contre, l'inconscient va s'opposer et il va tenter de démontrer à son gestionnaire que c'est lui qui a donné les mauvaises indications. Au besoin, il va devenir carrément agressif à l'endroit du gestionnaire. Il provoque une guerre de tranchées d'où il n'a aucune chance de sortir gagnant. La fuite par la sortie arrière sera sa seule planche de salut.

D'une incompétence totale, il a réussi à se faufiler à travers les mailles de la promotion ou de la sélection à l'embauche et on n'a pas vérifié ses aptitudes dans son secteur. Ses connaissances sont superficielles et insuffisantes pour qu'on le charge de projets, même les plus simples. Pour la routine quotidienne, il se satisfera d'établir des contacts, de rencontrer d'autres personnes pour discuter de banalités, de lectures relatives à l'actualité. Son bureau est jonché de bouts de papiers griffonnés, les seuls écrits à sa portée.

L'inapte conscient est un bon bougre par ailleurs. Il acceptera de bonne grâce tous les mandats qu'on lui confiera, de remplir les tâches dont les plus compétents ne veulent pas, de participer à des comités dont on sait qu'il ne sortira pas grand-chose de toute façon. En ce sens, il peut être utile à l'organisation, d'autant plus qu'il a la prudence de ne pas être critique envers elle. Il pourra même la défendre au besoin lors des attaques qu'elle peut subir de l'extérieur.

L'inapte conscient accepte le dialogue et admet ses limites, ce qui fait qu'il est facile de l'aborder et de mettre les choses au clair avec lui.

Le malade imaginaire

Ah ! que voilà une singularité pas si singulière que ça !

Quelle santé fragile ! Le fait de se coucher à trois heures du matin ou de prendre un verre de trop la veille justifie à ses yeux de se présenter au bureau largement en retard ou, plus fréquemment, de se déclarer malade pour la journée. La particularité, contrairement aux gens honnêtes envers eux-mêmes et envers l'organisation, c'est que c'est presque la faute de l'organisation s'il est malade, et il n'hésitera pas à accuser son gestionnaire de faire du harcèlement à son égard.

Au-delà des abus occasionnels, tous les motifs sont bons pour se déclarer malade et s'absenter: une rencontre avec un enseignant pour l'enfant turbulent, un allongement de la fin de semaine (c'est drôle comme les vendredis et les lundis sont propices à la maladie chez certaines personnes), un patron qui met un peu trop de pression, une visite à maman à l'hôpital, le pauvre petit ado de six pieds qui a manqué son bus pour l'université, et j'en passe.

Souvent, le malade imaginaire est surchargé d'obligations à l'extérieur du travail, d'où l'évidence d'une fatigue chronique qui ne connaît que peu de répit. Il est incorrigible et répète constamment les mêmes erreurs sous la trame commune de trop s'en mettre sur les épaules, tout en étant par ailleurs très conscient de sa propre dynamique en ce sens.

Le billet de médecin n'est pas un problème: celui-ci a été retenu pour sa permissivité qui, dans certains cas, frôle l'irresponsabilité. Si le gestionnaire met un peu de pression sur le plan de la justification des absences pour maladie, s'il suspecte un abus et exige une contre-expertise médicale, alors le malade imaginaire va mettre le paquet pour paraître vraiment très malade. C'est un bon acteur sous ce rapport.

Les congés de moyenne et de longue durée ne le fatiguent pas en ce qui concerne ses dossiers. Il n'est surtout pas du genre à se dire: « Mon Dieu ! mon organisation et mes clients vont en souffrir ! Ils ont besoin de moi, je me sens coupable d'être malade. »

Quand le malade imaginaire revient au travail après des mois d'absence, il est évidemment débordé et demande plus ou moins explicitement qu'on le ménage. S'il le faut, il accusera son patron de gestion inhumaine s'il exige une prestation normale dès son retour au travail.

L'approche très ferme de gestion doit être adoptée, bien sûr, mais avec des gants blancs. N'est-il pas injuste et répréhensible de « frapper » un employé malade? Je suggère ici de revoir la section des mesures disciplinaires de l'ouvrage *Profession gestionnaire, tome 1.*

Les cas les plus légers peuvent être corrigés en mettant l'employé devant ses responsabilités professionnelles. Il faut lui indiquer qu'on ne peut, en tant que gestionnaire, tolérer de tels abus très longtemps et qu'il serait injuste de pénaliser les collègues en leur demandant de compenser par la prise en charge de ses dossiers.

Par contre, les cas les plus lourds devront éventuellement être déclarés incurables. Sous une pression répétée et de plus en plus forte, le malade imaginaire trouvera par lui-même un autre hospice pour l'héberger, c'est-à-dire une autre organisation qui fera l'erreur de ne pas vérifier son dossier médical ou qui fermera les yeux en croyant (encore la pensée magique) que le malade imaginaire a changé.

LA MÉMÈRE

Une véritable machine à digressions et apartés. Une peste de moulin à paroles qui sème à tout vent ses propos, qui sont aussi vides de contenu que l'espace intersidéral. Quel que soit le sujet, la Mémère ramène tout à elle-même ou à ses proches : Moi, j'aime ou je n'aime pas. Mon fils, lui, il fait ceci ou cela. Mon voisin...

Elle est intarissable. Tout mérite d'être raconté en détail, et tous les apartés sont ajoutés pour que ce soit clair et complet, mais le résultat est un propos éclaté, un thème central dilué et noyé dans une masse de détails éloignés et peu utiles. D'ailleurs, elle finit souvent par oublier en chemin le point de départ de son monologue, mais qu'importe ! Elle ne s'en formalise surtout pas : elle trouve cela drôle et elle repart de plus belle.

C'est donc là ce qui la distingue : son incapacité à distinguer l'essentiel de l'accessoire. De plus, son écoute est brève et, au moindre silence, elle prend le crachoir pour enchaîner sur un propos que tu as tenu et qui n'est pas nécessairement le centre de ton intervention.

Comment réagir ? Si tu es obligé d'écouter, saupoudre son discours de « Oui, oui... », de « Ah ? », de « Pas ça ! ? ». Il faut éviter de laisser l'impression que tu es intéressé et, pour cela, tu dois adopter un faciès fermé et une attitude distante en espérant qu'elle ira étancher sa soif d'être écoutée auprès d'une autre fontaine d'audition.

Quoi qu'il en soit, durant ce monologue, utilise ce temps à réfléchir à d'autres problèmes qui méritent davantage ton attention. L'ultime parade : l'évitement pur et simple au risque qu'elle se croie l'objet d'un rejet de ta part, ce qui est un peu vrai d'ailleurs.

Si la mémère accapare trop souvent le temps et l'attention de ses collègues, tu n'auras d'autre choix que de lui faire prendre conscience du temps qu'elle-même perd à placoter à gauche et à droite. Si besoin est, tu devras mettre les points sur les « i » et lui adresser les avertissements appropriés en teneur et en ton pour le dire. **La fermeté est de rigueur, car la Mémère est totalement inconsciente de sa maladie, bien qu'elle soit consciente du fait qu'elle est très volubile, ce qu'elle croit être un léger défaut à l'occasion.** Elle l'avouera d'ailleurs candidement au moment d'une reprise de souffle, pour remettre ça de plus belle.

S'il y a un volet utilitaire à y trouver, c'est dans son côté relationnel qui est très développé et qui la dirige naturellement vers le rôle du « social » décrit un peu plus loin dans cette typologie. Aussi bien lui confier la responsabilité des activités sociales, puisque sa productivité professionnelle est faible de toute façon.

LE PARESSEUX

Le paresseux est fortement allergique au travail et gravement allergique à l'effort. Sa propre cure de santé : en faire le moins possible.

On peut en observer trois types.

Il y a **le spécialiste de la procrastination**. Il tourne en rond et remet toujours au lendemain, même les tâches les plus banales et les problèmes les plus simples. Celui-ci est un excellent délégateur qui, à défaut de pouvoir remettre à plus tard, va faire preuve d'une grande imagination pour se décharger de son travail sur ses collègues.

Il y a **l'incompétent**. Il peut correspondre au second modèle d'inapte. Au départ, on l'a embauché sur la base de son expérience, sans vraiment vérifier ses connaissances et ses habiletés, ou bien on l'a recruté il y a 20 ans pour des compétences bien spécifiques dont on n'a plus besoin aujourd'hui. Souvent, on s'est appuyé sur une simple entrevue parce qu'on en avait un besoin pressant pour réaliser une nouvelle mission pour laquelle l'organisation ne disposait pas de ressources compétentes.

On s'est gouré !

Celui-ci va se contenter du superficiel et ira chercher autour de lui un collègue aidant qui le conseillera pour les dossiers plus complexes. Puis, plus fréquent de nos jours, il y a celui qui avance un CV avec expérience apparemment pertinente et des diplômes appropriés, le tout présenté par une personnalité pleine de charme. C'est l'incompétent le plus dangereux car il n'hésitera pas à accepter des dossiers importants ; ce n'est que trop tard que l'erreur sur la personne sera découverte.

Puis il y a **le fantôme**, le paresseux masqué. Il n'est jamais là quand on le cherche. Il sait prévoir ces moments où on aura besoin de lui et il s'arrange pour être en voyage, ou malade, ou n'importe où, en prenant bien soin de n'aviser personne de l'endroit où il va être. Si on le critique, il a une parade classique : il se dit toujours débordé par les nombreuses tâches qu'on lui a confiées, qu'il étire d'ailleurs le plus longtemps possible pour éviter d'épuiser son réservoir de bonnes raisons de s'éclipser.

Que faire alors ?

Pour le paresseux en place depuis longtemps et qui a acquis un droit de résidence à vie, il faut le plus vite possible faire table rase des dossiers dont il est chargé et lui en confier de nouveaux qui l'amèneront à se démasquer lui-même. Dans tous les cas, on doit s'assurer qu'il ne dispose d'aucune échappatoire pour cacher sa paresse. Il faut s'assurer que les résultats des tâches qui lui sont confiées soient mesurables d'une façon objective indiscutable. Dans tous les cas, il faut éliminer toute marque de reconnaissance qu'il pourrait interpréter comme une approbation de son mode de fonctionnement.

Le paresseux chronique gratte-papier va continuer son petit bonhomme de chemin dans ton organisation. Il est particulièrement résistant car il se sait paresseux et il se complaît dans son état. Si tu tentes des actions radicales, il n'hésitera pas à te faire un procès par grief, ou à s'absenter aussi souvent ou aussi longtemps qu'il le faut pour te neutraliser.

L'incompétent et le fantôme sont plus orgueilleux. Une fois découverts et conscients qu'ils ne pourront plus trouver la tranquillité, ils chercheront à trouver une niche ailleurs, là où ils pourront recommencer leur manège et en jouir, pendant un certain temps à tout le moins.

LE PERFECTIONNISTE

Dès vos premiers échanges au sujet d'un nouveau projet, il formule des objections et il entrevoit déjà une foule de difficultés qu'il faudra surmonter, ce qui exigera qu'il soit libéré des autres dossiers dont il a la responsabilité afin de pouvoir se consacrer à celui-ci. Comme cela est difficile, sinon impossible, il aura des munitions pour justifier l'allongement des délais.

Comme la chose la plus anodine devient un projet complexe, il va demander un mandat écrit, très détaillé, dont il va étudier la moindre clause. Il va exiger des modifications pour éviter de se faire piéger, car il se méfie de l'autorité et veut surtout éviter que son dossier soit entaché d'une mauvaise note.

Il n'arrive jamais à « livrer » car il y a toujours nécessité d'approfondir le sujet à chaque tournant. Il est incapable de discerner quand l'information et les calculs sont suffisants, et cela lui donne une excellente raison de ne pas se conformer aux délais. En fait, il insiste pour qu'on respecte sa profession et qu'on lui laisse le temps pour faire un travail de qualité.

Il apparaîtra souvent comme érudit, et même génial. Cependant, là où le bât blesse, c'est qu'il est fier de ses connaissances et qu'il s'en sert pour argumenter avec collègues ou patrons. Dans la discussion, il va t'entraîner dans un dédale de sujets, connexes mais non directement pertinents. Tu ne réussiras pas à te sortir de ce dédale à moins de bloquer la digression dès le départ en mettant en évidence le fait que « Ce n'est pas de cela qu'on parle à ce moment-ci ! Revenons au thème qui nous occupe. » S'il y a insistance de sa part, il faut prendre le temps de bien resituer le sujet principal.

◆ ◆ ◆

Le perfectionniste peut représenter une ressource de grande valeur pour ton organisation si son énergie est bien canalisée et qu'une parade adéquate est trouvée aux défauts inhérents à son perfectionnisme.

Par exemple, les dossiers complexes qui ne sont pas assujettis à des échéances serrées peuvent lui être confiés dans la mesure où un suivi régulier de l'avancement des travaux est effectué et que tu lui donnes de fréquentes marques d'appréciation pour soulager l'anxiété qui affecte toujours le perfectionniste.

LE REBELLE

Il va oser critiquer les plus hautes instances directement si on lui en ouvre la porte. Par ailleurs, ses critiques sont toujours fondées. Il restera poli mais très ferme dans ses interventions. Il ne tolère pas l'ingérence du politique dans des décisions qui devraient répondre à des impératifs logiques et rationnels.

C'est un contestataire qui ne tolère pas non plus l'incompétence chez ses supérieurs. Il pourra démontrer à l'occasion une certaine agressivité relativement à ce qu'il appellera l'imbécillité de certains gestionnaires, dont il est impuissant à contrer les effets.

Il n'est pas seulement rebelle; il est aussi téméraire. Il menacera de donner sa démission devant ce qui lui apparaît intolérable, et le fait est qu'il est bien capable de le faire sur-le-champ. Sa témérité l'amène à prendre le risque de se retrouver à la rue, mais il prend ce risque en s'appuyant sur sa confiance inébranlable de pouvoir se remettre en selle rapidement.

Le rebelle dont on parle ici est intelligent, travaillant et compétent. Le malheur, c'est que ses aspirations et ses talents ne sont pas exploités à leur plein potentiel. Le gestionnaire consciencieux devrait être préoccupé par ses menaces de démission et les prendre au sérieux.

Il faut donc lui trouver une niche qui lui permettra d'exploiter ses talents, à l'abri des contenus susceptibles de provoquer sa révolte. Il faut lui confier des projets dont la réalisation finale est probable, et il faut surtout éviter les projets qui reposent sur des bases moins solides, c'est-à-dire plus sujettes à influence « politique ». Ainsi, ses critiques mourront dans l'œuf parce qu'il aura la latitude d'agir à l'abri de cela même qu'il critique.

LE RÉSISTANT

Il déteste le changement, il ne veut jamais rien savoir des nouvelles orientations. Quoi qu'on lui dise, il est contre.

Il dispose de tout un arsenal de comportements de résistance.

- Le refus pur et simple de la décision ou du changement :
  « Il n'en est pas question ! »
- Le négativisme à outrance :
  « On a déjà essayé ça et ça n'a pas marché ! »
  Il se dit réaliste, mais c'est un éteignoir de passion pour qui toute démonstration d'enthousiasme n'est que pure naïveté.
- La soumission apparente :
  « Je suis d'accord, mais j'aurais besoin de plus de précisions. » Cela lui permet d'éviter une possible confrontation et de justifier le refus profond réel.
- Le report aux calendes grecques :
  « Je ferai cela à tel ou tel moment. »
- Le transfert du singe :
  « C'est un tel qui est le mieux placé pour... »
- La dramatisation :
  « Telle personne influente ou telle organisation va regimber si on fait cela. »

Habituellement, il est facile de détecter le résistant car, dans toute situation nouvelle où il est concerné, il adopte au départ une attitude de « Je ne suis pas d'accord ». Ce n'est qu'à l'usage qu'on peut le détecter à coup sûr, car certaines des parades de son arsenal sont difficilement identifiables sur le coup. Il apporte souvent des arguments qui peuvent avoir du sens à première vue, mais qui ne résistent pas à l'analyse sérieuse.

D'abord, évite d'argumenter ouvertement avec lui car son négativisme va obscurcir son écoute et sa propre argumentation va devenir obstination.

Cherche plutôt à identifier d'avance les aspects positifs du dossier et trouve une façon de le lui présenter qui sera adaptée à ses préférences. Présente-le de sorte qu'il en découvre par lui-même les côtés positifs. À la limite, l'approche de l'intention paradoxale peut être utilisée dans certains cas : présenter le projet en mettant en évidence les inconvénients qu'il peut y avoir à le réaliser et en en minimisant les avantages. Si c'est un type de dossier susceptible de l'intéresser, il est possible que, contre toute attente, il en prenne la défense et se porte volontaire pour le piloter.

Le rond-de-cuir

Son pire défaut réside dans l'importance qu'il accorde à l'application scrupuleuse des prescriptions et consignes qui soutiennent son activité. Souvent il s'agit d'une personne qui souffre d'une piètre estime d'elle-même, ce qui l'amène à utiliser ses fonctions pour se donner une certaine valeur en tant qu'individu. Cela se reflètera dans ses attitudes teintées d'une certaine suffisance, encore une fois pour masquer son peu de valeur.

Ses défauts transpirent dans ses relations avec les clients ou avec d'autres organisations parce que le manège est inopérant sur ceux et celles qui le côtoient quotidiennement. Il y a danger potentiel si une telle personne est mise en contact avec la clientèle, soit en accueil téléphonique, soit en personne au comptoir. En effet, cet employé manque totalement de discernement. Il a adopté la devise de Séraphin : « La *loâ*, c'est la *loâ* ! »

Monsieur Rond-de-cuir reçoit le client avec un air sérieux, un visage fermé, souvent sans aucun sourire et à peine un « Bonjour » faible et sans âme. Il réagit comme si le client le dérangeait, l'importunait. Il le fera se sentir un peu béotien en laissant entendre qu'il devrait être au courant des façons de faire, alors que ce sont souvent de sinueux méandres administratifs. Si le client pose trop de questions pour essayer de comprendre, alors là Rond-de-cuir réagit en adoptant un ton ferme, sinon carrément critique.

Une telle attitude a des conséquences néfastes sur la qualité d'accueil et de service que le client perçoit et, partant, sur la perception générale de la clientèle envers les employés et l'organisation dans son ensemble. Le gestionnaire responsable risque d'être questionné sur sa gestion car, à plus ou moins brève échéance, des plaintes seront portées à la haute direction au regard de la qualité de l'accueil fait au client par cette unité.

Puisque les défauts inhérents à ce modèle ne se font que peu sentir à l'interne, comment l'identifier ? Quand on l'observe en action, on peut constater l'absence d'intérêt réel pour le client, qui se traduit par un faciès fermé et l'absence de sourire, ce que le client traduira à ses proches à son retour comme ayant été accueilli par un « méchant air bête ». Cet employé s'empressera de mettre sa pancarte « Guichet voisin » pour la moindre raison, et le plus tôt possible à la fin de son quart de travail.

En cette ère de mondialisation où la qualité des services à la clientèle prend une place prépondérante, une telle attitude est intolérable et le gestionnaire doit intervenir. La difficulté, c'est que l'employé concerné niera sa responsabilité. Il affirmera que c'est bien la faute du client qui n'a pas fait les efforts suffisants pour comprendre et qui, frustré, a provoqué le conflit par son insistance. L'employé critiqué risque d'adopter le mode défensif et d'exprimer une certaine colère à l'égard de son patron qui ne comprend pas la difficulté de prendre le client par la main.

Une seule solution : la fermeté. Il faut mettre en évidence les faits observés, mais il est important que ces faits soient indéniables. Le gestionnaire doit rappeler les effets sur toute l'organisation et les impacts négatifs possibles sur lui-même. Il doit affirmer que, pour ces raisons, une attitude rond-de-cuir ne sera pas tolérée et que, si le problème persiste, il faudra envisager une autre affectation. Il se peut que cette option ultime soit le déclencheur nécessaire pour provoquer un changement d'attitude, une prise de conscience qui sera salutaire à l'employé et à l'organisation. En effet, monsieur et madame Rond-de-cuir ont besoin du contact avec le client pour préserver leur sentiment d'importance.

LE SOCIAL

Souvent président du club social de l'organisation, il est l'organisateur en chef de toutes les activités sociales auxquelles il consacre une partie importante de son temps. Il agit à tous les niveaux et il est de tous les comités organisateurs: *party* de Noël, dîner du temps des fêtes, tournoi de golf, voyages organisés, conférences, etc.

Lorsque tu lui confies un nouveau dossier, il se plaint de ne pas avoir de temps parce qu'il est trop pris par ses engagements. Après tout, c'est pour le bien de l'organisation et ça fait bien l'affaire, n'est-ce-pas, *boss*? C'est vrai qu'il peut apporter beaucoup à la qualité de l'atmosphère du bureau.

Le problème, c'est qu'il adore cela et qu'il finit par y consacrer plus de temps qu'à son travail proprement dit. Dans les faits, s'il mettait autant d'énergie, de débrouillardise, d'entregent et d'imagination dans ses dossiers professionnels, ce serait extraordinaire. Il faut dire, à sa défense, qu'il va souvent s'investir sans compter et parfois même pendant son temps de loisir. Cela démontre qu'il trouve dans son rôle d'organisateur une satisfaction que ne lui procurent pas ses activités professionnelles.

Il démontre de belles qualités d'organisateur et de coordonnateur, et la réussite des petites sauteries annuelles peut lui attirer la reconnaissance des hauts dirigeants qui appuient son investissement dans ces activités extraprofessionnelles. Cela peut devenir irritant pour toi en ce sens que ton autorité de gestionnaire peut en être minée. Il a trouvé un protecteur de choix au cas où tu aurais des blâmes à lui adresser.

Par ailleurs, si ce n'est pas le cas et que tu as besoin de ses services de façon criante, alors la ligne ferme doit être adoptée, quelles que soient ses propres récriminations ou celles des autres employés de ton organisation.

LE TABLETTÉ

Cette catégorie s'applique au cadre pour qui il n'y a plus de place dans l'organisation. Il existe différentes catégories de tablettés, dont celui de très haut niveau qu'on cloître dans les officines de l'intelligentsia avec une obscure responsabilité au titre glorifiant. Une telle mise au rancart touchera souvent un haut gradé qui se trouve au crépuscule de sa carrière et qu'on juge encrassé dans ses vieilles habitudes et incapable d'évolution.

Ce n'est pas de celui-là que je traite ici. Je vise plutôt le cadre de niveau intermédiaire encore loin de la retraite et que l'organisation ne peut cacher ailleurs comme dans le cas précédent. Deux raisons sous-tendent le « tablettage » de ce niveau.

Dans un premier cas, la haute direction change et le nouveau général en chef tient à choisir lui-même ses officiers, quels que soient les coûts psychologiques et économiques de ces caprices. En effet, celui qui est mis de côté a pourtant fait le travail à la satisfaction de son précédent patron. Un deuxième cas résulte des réorganisations et des fusions qui font qu'on se retrouve avec deux directeurs dans un seul fauteuil. Inconfortable ! L'effet est le même, et les réactions de la victime aussi.

Le tabletté sera souvent affecté à un vague poste de conseiller-cadre auprès d'une autorité supérieure de son organisation, il sera une sorte d'adjoint au directeur général. À ne pas confondre avec un poste de directeur général adjoint, celui qui se charge des dossiers embêtants, tels les conflits au sein du personnel, et de la petite « poutine administrative » qui est perte de temps pour sa Seigneurie.

Parfois, plus glorifiant encore, l'indésirable sera promu à un poste de chargé de mission ou de responsable d'un dossier au nom tout aussi nébuleux que prestigieux. Personne n'est dupe et tout le monde sait bien qu'on ne donnera jamais suite à ces dossiers factices. C'est ce que Lawrence J. Peter[67] appelait la sublimation percutante : à défaut de pouvoir procéder à une rétrogradation ou à un déplacement latéral, on donne une promotion.

67. Voir référence n° 29.

On peut observer un premier modèle comportemental chez le tabletté : celui qui traîne son air de salon funéraire partout dans le bureau et qui se plaint à qui veut bien l'entendre de l'injustice dont il est l'objet, de la cruauté même de ceux qui hier encore le félicitaient. C'est le pathétique qui a clairement pris le chemin de la dépression.

Un second modèle comportemental est celui qui tente de jeter de la poudre aux yeux en s'activant à qui mieux mieux, se mêlant de tout et prodiguant ses précieux conseils autour de lui, même sur des sujets qu'il ne connaît pas et à ceux qui n'en veulent surtout pas. On le reconnaît par sa démarche rapide, pompeuse, d'imposants dossiers sous le bras. Il demande à être de toutes les réunions et jamais il n'y restera silencieux, au grand dam des participants sérieux qui ont intérêt à ce que les dossiers progressent. Sa présence est un boulet au pied. C'est l'hyperactif.

Dans ce deuxième cas, il peut y avoir dépression larvée, une dépression qui couve sous ces apparences trompeuses. Si la situation se maintient, arrivera un moment où le masque tombera, où le tabletté s'effondrera, et personne, lui-même le premier, ne comprendra ce qui s'est passé. Cela parce que c'est une personne qui ne se sera jamais arrêtée à prendre conscience d'elle-même, à observer lucidement ce qui se passait autour d'elle et en elle.

Malheureusement, le décideur est toujours embêté par une telle décision et il n'a pas de temps à consacrer à ce type de dossier. Il adoptera pendant un temps une attitude compréhensive et même laxiste à son endroit et il lui recommandera d'aller chercher de l'aide auprès des spécialistes compétents, aux frais de l'organisation bien sûr.

LE TECHNOMANE

C'est le maniaque de la technologie qu'il consomme tel un boulimique. Chez lui, il s'entoure d'appareils tout aussi récents et complexes les uns que les autres. Comme l'évolution se poursuit à un rythme effarant et que de nouveaux gadgets sont sans cesse mis sur le marché, il est constamment en mode d'acquisition et d'essai. Il salive à l'avance à l'idée des nouveaux plaisirs que les prochains appareils ou logiciels vont lui procurer.

Au bureau, il n'est pas toujours aussi favorisé sur le plan de l'équipement, mais il y apporte tout de même l'expertise qu'il a acquise à la maison. Dans le contexte du mouvement inexorable d'utilisation croissante des technologies dans les organisations, il peut représenter un facteur appréciable de facilitation de l'adaptation au changement. Cependant, c'est aussi là que le bât blesse : il se tient constamment à l'affût des interrogations et des problèmes qui affectent ses collègues, et il va délaisser son travail pour se porter à leur secours et les dépanner, ces malheureuses victimes de la technologie.

C'est un capitaine au long cours de la navigation dans Internet. Il parle avec admiration et enthousiasme des possibilités du réseau. Comme un enfant devant ses cadeaux de Noël, il déballe le premier site Web avec frénésie pour aller le plus rapidement possible à un autre, et à un autre encore. Phénomène de consommation connu : l'attrait du site qu'il n'a pas encore visité prend le pas sur le plaisir de jouir de celui qu'il vient d'atteindre, même si celui-ci est en mesure de satisfaire adéquatement son besoin.

Il peut devenir nécessaire de le rappeler à l'ordre à l'occasion et de le recentrer sur ses tâches premières, à moins qu'il s'agisse d'un technicien en informatique dont c'est le travail. Dans ce cas, on a trouvé une personne parfaitement adaptée à son travail et qui représente une valeur sûre pour l'organisation.

LE TECHNOPHOBE

À l'opposé du technomane, le technophobe craint la technologie et il l'évite autant que possible. Il appréhende continuellement que l'ordinateur lui envoie un message du type: « Une erreur fatale s'est produite, tout ce qui n'a pas été sauvegardé sera perdu et vous devrez redémarrer votre ordinateur. »

Il craint aussi le courriel pour deux raisons. Il redoute d'abord l'incertitude reliée au contenu d'un courriel qui ne permet pas toutes les nuances du langage parlé, tout le signifiant du contenu non verbal de la communication face à face. Il y a aussi de forts risques qu'il souffre, comme plus de la moitié des travailleurs selon moi, du syndrome de la page blanche.

Le technophobe sent au-dessus de sa tête l'épée de Damoclès de l'exclusion des processus. Il se sent « analphabète technologique », c'est-à-dire incapable d'apprendre à utiliser d'une façon efficace la technologie. Les recherches que j'ai effectuées sur le sujet me permettent de craindre qu'on trouve éventuellement dans nos organisations un taux d'analphabétisme technologique comparable au taux d'analphabétisme classique qu'on trouve dans la population en général, soit 20 % au bas mot. Plus la technologie va envahir nos milieux de travail – cela est inévitable – plus l'organisation du travail va devenir un joyeux casse-tête.

Au regard de l'utilisation des technologies, il y a des personnes qui résistent et d'autres qui sont intimidées. Des chercheurs[68] affirment que seulement 10 à 15 % des travailleurs aiment d'emblée la technologie et se montrent enthousiastes à l'adopter; ils savent que les nouvelles technologies présentent des failles et apportent des problèmes, mais ils trouvent plaisir à découvrir des solutions à ces problèmes. C'est l'approche psychologique du technomane. Par ailleurs, il est démontré au quotidien que les jeunes qui sont en train de grandir avec la technologie sont moins touchés par ce phénomène. Toutefois, ils le sont tout de même et beaucoup vont avouer que la technologie les embête.

---

68. WEIL, Michelle M., et Larry.D. ROSEN. *TechnoStress – Coping with Technology @ Work @ Home @ Play*, New York, John Wiley & Sons Inc. 1997.

À l'autre extrême du spectre d'attitudes, 30 à 40 % des personnes résistent à l'utilisation des nouvelles technologies. Elles ne les aiment pas et elles sont parfois carrément technophobes. Ces employés sont affectés par les problèmes techniques et souvent ils vont se sentir coupables si quelque chose ne fonctionne pas. Le technophobe ressent de l'anxiété, un sentiment d'isolement et de la peur quand il doit utiliser la nouvelle technologie.

Voici quelques symptômes qui peuvent permettre de démasquer le technophobe :

- Il ne répond pas aux courriels qu'on lui envoie.
- On ne voit en permanence que des images ou des photos sur l'écran de son ordinateur.
- Il n'est que très rarement à son clavier, et son bureau est inondé de bons vieux documents « papier ».
- Il remet toujours à plus tard les activités qui exigent de travailler avec le système informatique de gestion.

L'exercice de réflexion à la fin du chapitre 4 propose un certain nombre de pensées irrationnelles que tu peux aider ton technophobe à combattre. Cependant, ne t'aventure pas trop loin sur ce chemin et laisse cela aux spécialistes de l'adaptation aux nouvelles technologies. Ne le confie surtout pas à un technomane, car tu ne récupéreras jamais ton technophobe.

LA TÉLÉPHONISTE

La téléphoniste est une spécialiste des appels personnels au bureau, à tel point qu'on pourrait croire qu'elle est la téléphoniste attitrée de la direction.

Ses interlocuteurs sont maman, le conjoint, les enfants, les amis et, parfois, les collègues de travail. Ça fait bien du monde avec qui échanger, et la plupart du temps il s'agit soit de popote quotidienne, soit de problèmes personnels à régler. Dans tous les cas, le nombre quotidien d'appels est impressionnant et la téléphoniste y consacre plusieurs heures par jour.

D'abord, il n'est pas facile d'amener la téléphoniste à prendre conscience de son abus des outils et du temps normalement consacré au travail car il n'y a pas de mesure objective de ces abus. On ne peut s'appuyer que sur les évidences visuelles et auditives qui sont faciles à constater mais difficiles à prouver.

Ce sont des abus difficiles à stopper car, pour la téléphoniste, il est normal de parler à ses proches durant la journée pour traiter de situations qui exigent une réponse immédiate: sa mère qui angoisse à propos de son état de santé chancelant, son adolescent malade qui est resté à la maison et que maman surveille de loin, une amie en crise à cause de problèmes conjugaux, son conjoint qui « l'engueule comme du poisson pourri » parce qu'il est obligé d'accomplir des tâches dont elle devrait se charger.

Compte tenu du fait que l'employée ne voit rien de grave dans son utilisation du téléphone à des fins personnelles – auquel s'ajoute le courriel aujourd'hui – et considérant l'absence de preuves formelles à cet effet, il n'est pas facile d'aborder ce sujet avec elle et encore moins de prendre des mesures disciplinaires. On doit souligner à la personne concernée qu'on juge ses communications personnelles excessives et qu'on souhaite la voir les réduire à l'essentiel. En général, la personne comprend et s'amende.

LA VEDETTE

La vedette possède des connaissances approfondies dans de nombreux domaines. Elle traite plusieurs dossiers en parallèle et c'est à elle qu'on confiera d'office les nouvelles tâches complexes et urgentes. Le problème, qui en est un de gestion, c'est qu'elle sera toujours débordée et qu'elle livrera souvent plus tard que prévu. En effet, on doit mettre des bémols au vieil adage qui dit: « Si tu veux que le travail soit fait rapidement, confie-le à celui qui est le plus occupé. »

La vedette est loyale et foncièrement honnête. Elle est sûre d'elle et de ses opinions professionnelles. Toutefois, comme elle ne peut admettre une faiblesse quelle qu'elle soit, elle risque de somatiser, de devenir malade physiquement, ce qui est socialement acceptable. Même alitée à la maison elle restera disponible, comme pour confirmer son importance et le fait qu'elle est indispensable.

N'en fais jamais une gestionnaire. En effet, elle est trop utile là où elle est et, inquiétante perspective, elle traînera ses connaissances et son statut de spécialiste dans sa gestion, étouffant ainsi ses employés compétents. Ce serait un exemple patent du principe de Peter selon lequel elle atteindrait là un niveau d'incompétence qu'elle peut éviter par ailleurs en conservant son statut actuel.

Évidemment, c'est très utile et agréable d'avoir une vedette dans ses rangs. C'est un rôle nécessaire qui peut donner du crédit à ton unité. Le danger, c'est que la vedette déborde de ses champs de compétence en proposant ses propres valeurs à l'ensemble de l'organisation ; on en trouve de nombreux exemples au sein des équipes professionnelles de sport. Ton rôle est de préserver les valeurs de l'organisation qui doivent garder leur primauté sur les valeurs individuelles.

L'ABRÉGÉ DE GESTION DES SINGULARITÉS

La gestion des singularités n'est pas un exercice facile. En fait, il n'existe pas de recette vraiment spécifique à chacune, car l'être humain est bien trop complexe pour que cela soit possible. Ceux qui avancent de telles recettes sont des charlatans, tout comme ceux qui essaient de faire miroiter une gestion facile des personnes en trois ou quatre prescriptions.

Je veux tout de même proposer en une seule phrase – ceux qui diront que c'est plutôt simpliste n'auront pas nécessairement tort – une idée centrale, une idée maîtresse qui peut cristalliser ta réflexion et orienter ton intervention éventuelle.

- Refuse que l'**agitateur** te transfère le singe.
- Transforme l'**analphabète** en relationniste.
- Affecte l'**avare** à un rôle de conseiller spécialisé.
- Tiens les rênes du **blagueur** bien tendues.
- Retire le **buveur** du travail et fais-le soigner.
- Cache bien ton **dauphin**.
- Trouve à ton **futur retraité** des jeunes à accompagner.
- Sache détecter la vraie nature de la **girouette**.
- Démontre au **grognon** que son ridicule le tue.
- Surveille le **harceleur** jusqu'à extinction de son jeu.
- Délègue l'**inapte** à des comités inutiles.
- Serre la vis au **malade imaginaire**.
- Confie le rôle de « social » à la **mémère**.
- Démasque le **paresseux** si tu veux le neutraliser.
- Ne laisse pas digresser le **perfectionniste**.
- Utilise l'énergie du **rebelle** à la façon du judoka.
- Entends le **résistant**, mais ne l'écoute pas.
- Ne tolère pas l'air bête du **rond-de-cuir**.
- Laisse faire le **social** ou retire-lui ce rôle.
- Surveille le **tabletté** : il se dirige vers la dépression.
- Recentre le **technomane** sur ses dossiers.
- Permets au **technophobe** de désamorcer sa peur.
- Démontre à la **téléphoniste** que tu vois son jeu.
- Confirme souvent à la **vedette** son importance.

CONCLUSION

Ceci est mon premier livre. Ce sera aussi mon dernier.

C'est en quelque sorte un testament par lequel je lègue au lecteur les avoirs réflexifs, un bien modeste héritage, j'en conviens, que j'ai accumulés au fil des cinquante dernières années sur le monde, sur moi-même dans ce monde et sur ma relation aux autres.

Je crois que le monde, l'être humain, la société, l'organisation sont imparfaits par nature et que cette imperfection, chez soi d'abord et chez l'autre ensuite, doit faire l'objet d'une acceptation lucide, sincère et profonde.

Je crois qu'un bon gestionnaire de personnes, c'est quelqu'un qui sait donner un sens à son travail, un sens qui va provenir de ses valeurs les plus solides. Cela exige de se connaître soi-même, et cette connaissance passe par un exercice incessant de prises de conscience de soi à travers sa vie personnelle et professionnelle.

Je crois qu'un gestionnaire lucide comprend et accepte son imperfection d'abord, celle des autres ensuite. Ce n'est cependant pas une acceptation qui fait baisser les bras et courber l'échine ! C'est une acceptation qui fait lever la tête vers le ciel pour y voir la lumière, celle qui fait grandir en lucidité.

Les quelques pages qui suivent se veulent un bref rappel du cheminement suivi dans cet ouvrage qui se veut avant tout une démarche de réflexion, avec une insistance particulière sur quelques éléments clés.

La quête de sens

L'Univers a un sens. Forcément, ta vie aussi a un sens. Ce sens te permet de te situer dans cet univers et il t'amène à te rendre compte, humblement, que tu n'en es pas le centre, comme tu as l'air de le croire parfois tellement tu te prends au sérieux.

Il met en évidence ta petitesse et ta grandeur à la fois. Il te permet de donner un sens à ta vie dans un environnement d'abord social dans lequel l'autre joue un rôle crucial car sans lui, sans sa reconnaissance de ton existence, tu n'es rien. La qualité de ta relation avec lui est centrale dans ta vie personnelle et professionnelle.

Un pas de plus et tu découvres le sens de ton travail et de ta profession. Tu as choisi celle de gestionnaire, mais tu constates qu'en ces temps de grande turbulence tu y perds pied parfois dans une insatisfaction grandissante. Alors, tu t'interroges.

L'identification des valeurs

Tout le monde souhaite réussir dans la vie, et c'est d'ailleurs ce qui est valorisé dans nos sociétés. La question t'a cependant été posée : Pour toi, réussir dans la vie est-il équivalent à réussir ta vie ? Cette question est lourde de sens, et la réponse n'en est pas évidente.

En me basant sur ma croyance selon laquelle réussir sa vie est inclusif de réussir dans la vie, je t'ai proposé, pour y répondre par toi-même, de choisir l'un de ces deux étalons de mesure : satisfaire aux canons de la réussite sociale, l'étalon habituellement reconnu, ou bien te fier à ce qui se passe en toi en matière de satisfaction, de bien-être, de bonheur, bref utiliser l'étalon qui te renvoie à ton intériorité.

Dans cette démarche d'identification de ce qui est important dans la vie et de ce qui l'est moins, tu dois t'arrêter, bien sûr, à ta vie professionnelle qui occupe une large partie de ton existence, mais tu dois aussi t'arrêter à ta vie familiale qui en occupe une autre très large partie. C'est bien beau d'avoir un conjoint et des enfants, encore faut-il s'en occuper. À cet égard, tu sous-estimes peut-être l'importance de ta présence en croyant que ton rôle de pourvoyeur est suffisant.

La voie de la conscience et d'un certain bonheur

Dans ta démarche de connaissance de toi-même par la voie de la conscience, tu constates que souvent tu prends tes perceptions pour la réalité et que tu fonctionnes sous pilote automatique sur ces bases.

Au fur et à mesure que tu deviens capable de t'éloigner de la vague des stimulations incessantes qui attirent ton attention, que tu deviens capable de prendre du recul et de t'observer en action sans être totalement absorbé par cette action, tu découvres que tes angoisses prennent source dans ton incapacité à vivre le moment présent, dans ta tendance à négliger l'action immédiate au profit d'une action anticipée, dans ta difficulté à résister à la tentation d'une vie dans un monde virtuel tout aussi aliénant que libérateur des vicissitudes de la vie dans le monde réel.

En toute lucidité, tu prends conscience de toi-même, de tes peurs, de tes frustrations, de ton égoïsme, de ta violence même. Paradoxalement, ce sont eux, justement, qui t'ouvrent les portes qui donnent sur le chemin de la connaissance de soi: la porte de la vigilance permise par l'arrêt du bavardage mental et la porte de l'acceptation de ce qui est et que tu ne peux maîtriser.

Je me répète ici en réaffirmant que quelque part en chemin tu rencontreras le bonheur, à la condition de poursuivre la route qui ne connaît pas de fin, pas de destination ultime, pas d'état de *nirvana* sinon dans le cheminement lui-même.

Dans ta quête de bonheur, l'ultime quête, ne te laisse pas attirer par le chant des sirènes de l'Avoir. Rappelle-toi que **le bonheur n'est ni dans les choses, ni dans les gens, il est en toi**.

Vers une gestion humaine et lucide

Une organisation, c'est une société, et la gestion s'y concrétise à travers une boucle de rétroaction entre toi et l'autre dans cette société. En toute humilité, tu dois admettre que tu n'en es qu'un élément et tu dois travailler à augmenter cette capacité à prendre du recul, à t'observer en action tout en observant les autres au-dessus et en dessous de toi dans la hiérarchie.

Il se produit un mouvement perpétuel entre toi, le gestionnaire de niveau intermédiaire, et tes patrons ainsi que tes subalternes. Tu constates que ceux-ci sont parfois plus directifs que les hauts dirigeants.

Tu reçois des commandes et des commentaires de tes dirigeants et tu dois les transformer pour les livrer à ton équipe d'une façon compréhensible et mobilisatrice. Ton équipe produit des résultats que tu livres en retour à tes patrons. Les méandres communicationnels de ce va-et-vient baignent dans un océan d'émotions qui vont moduler d'une façon majeure le fond rationnel qu'on a tendance à croire immuable. Ces émotions, ce sont les tiennes, celles de tes patrons et celles de tes employés.

Pour obtenir les meilleurs résultats, tu dois développer au maximum tes capacités de communicateur ainsi que ta capacité à gérer les émotions qui font partie intégrante de la vie relationnelle. Encore ici, pour ce faire, tu dois apprendre à te regarder aller, à prendre du recul, à t'observer en action, à être vigilant au regard de tes sentiments et, le plus difficile peut-être, à les accepter tels qu'ils sont, à t'accepter toi-même tel que tu es. Ce n'est qu'au prix de ces efforts d'humanisation de ta gestion que tu peux aspirer à l'excellence en gestion des personnes.

Un humain, c'est complexe et c'est plus difficile à gérer que toute autre chose. Cependant, quand on participe à rendre un employé heureux dans son environnement de travail, on peut se dire qu'on a fait évoluer l'humanité, qu'on a fait quelque chose pour elle. Personnellement, si je monte même au plus haut niveau de la hiérarchie, je n'en serai jamais heureux si, pour arriver à mes fins, j'ai écrasé des gens, je les ai fait souffrir, j'ai participé à les rendre malheureux. Cela, je ne me le pardonnerais jamais.

La personne, c'est l'objet de gestion proposant les plus importants défis qui, s'ils sont relevés avec brio, vont te permettre d'accéder aux plus grandes joies que permet la profession de gestionnaire.

Vos notes personnelles

Vos notes personnelles

Vos notes personnelles

VOS NOTES PERSONNELLES

VOS NOTES PERSONNELLES

Vos notes personnelles

Achevé d'imprimer en mai 2004
sur les presses de l'imprimerie
Transcontinental Gagné
à Louiseville